Chère lectrice,

Vous aurez sûrement beaucoup de plaisir à découvrir les histoires que j'ai spécialement sélectionnées pour vous ce mois-ci, toutes plus palpitantes et romantiques les unes que les autres. Dans *Un mystérieux inconnu* (n° 2061), le cinquième volet de votre série La magie de l'amour, vous verrez comment la timide Cynthia se laisse emporter par la passion grâce à un seul baiser, échangé sur une plage avec un inconnu dont elle ne peut voir le visage... De la même façon, un regard suffit à Ian Miller pour comprendre qu'il est en train de tomber amoureux de la jolie Tina Ryan, l'intendante du domaine qu'il vient d'acquérir, et qu'il a envie de devenir le papa de la petite Emma, le bébé de trois mois de la jeune femme (*Le cadeau du destin*, n° 2062). Laura Gifford, quant à elle, ne pensait pas trouver *Le fiancé idéal* (n° 2063) en la personne du Dr Jonathan Wood, le nouveau vétérinaire de la petite ville où elle habite. Et pourtant... Enfin, découvrez la façon dont la belle Mallory Ellis et le ténébreux Rafael d'Afonso vont contracter au Portugal *Un étonnant mariage* (n° 2064)...

Bonne lecture !

La responsable de collection

Un mystérieux inconnu

CARA COLTER

Un mystérieux inconnu

COLLECTION HORIZON

éditions Harlequin

Si vous achetez ce livre privé de tout ou partie de sa couverture, nous vous signalons qu'il est en vente irrégulière. Il est considéré comme « invendu » et l'éditeur comme l'auteur n'ont reçu aucun paiement pour ce livre « détérioré ».

Cet ouvrage a été publié en langue anglaise
sous le titre :
NIGHTTIME SWEETHEARTS

Traduction française de
CAROLE PAUWELS

HARLEQUIN®

est une marque déposée du Groupe Harlequin
et Horizon® est une marque déposée d'Harlequin S.A.

Originally published by SILHOUETTE BOOKS,
division of Harlequin Enterprises Ltd.
Toronto, Canada

83-85, boulevard Vincent-Auriol, 75013 PARIS — Tél. : 01 42 16 63 63
Service Lectrices — Tél. : 01 45 82 47 47
ISBN 2-280-14478-6 — ISSN 0993-4456

Prologue

— Mademoiselle Montrose ? Rick Barnett souhaite vous voir, annonça la secrétaire dans l'Interphone.

— Qui ? demanda Merry, sans prendre la peine de contrôler son irritation.

Elle n'avait absolument pas le temps de recevoir qui que ce soit en ce moment.

— L'architecte. Celui que vous avez choisi pour construire la chapelle nuptiale.

Ah oui, l'architecte ! La chapelle était la dernière idée en date de Merry. Une idée forcément brillante, comme tout ce qu'elle concevait. Compte tenu du nombre d'histoires d'amour qui éclosaient à La Luna, le luxueux hôtel qu'elle dirigeait, ils se devaient en effet de posséder leur propre chapelle pour que les clients puissent s'y marier. Le propriétaire de l'hôtel, immédiatement séduit par ce projet, lui avait donné son feu vert et l'avait chargée de tout superviser.

A l'époque, Merry s'était réjouie de ce succès, mais cela lui semblait désormais bien dérisoire en comparaison de ce qui se passait dans sa vie.

Il ne lui restait plus qu'un dernier mariage à organiser pour que le sort que sa marraine lui avait jeté sept ans plus tôt soit enfin brisé. Alors, elle quitterait cette enveloppe de vieille femme percluse de rhumatismes pour redevenir aussi jeune et belle qu'elle l'était autrefois.

Enfin, la princesse Meredith Montrose Bessart allait renaître de ses cendres. Non que la vie sur une île privée au large de la Floride soit véritablement désagréable. Mais entre diriger un hôtel et bénéficier de tous les plaisirs de l'existence sans avoir à faire le moindre effort, le choix était vite fait.

Elle imaginait déjà son retour triomphal au royaume de Silestie, la foule en liesse dans les rues, les manifestations officielles… Elle retrouverait son luxueux train de vie. Elle épouserait le prince à qui elle était fiancée depuis sa naissance, et leur union générerait quantité d'opportunités et de contrats…

Mais ce n'était pas le moment de rêver. Pour se libérer du sortilège, elle devait réunir vingt et un couples avant son trentième anniversaire. Il ne lui restait que quelques semaines avant la date fatidique, et encore un couple à former. Il n'y avait donc pas de temps à perdre. Pourtant, elle devait bien avouer qu'elle se trouvait à court d'idée.

— Encore un petit effort et ce sera fini, s'encouragea-t-elle à mi-voix.

Après avoir observé les photos qui s'empilaient sur son bureau, elle en prit une au hasard : celle d'une superbe actrice habituée des lieux. Puis elle battit les autres photos à la manière d'un jeu de cartes, et sortit celle du jardinier de l'hôtel.

Une association étrange et passablement compliquée, songea-t-elle avec découragement.

— Mademoiselle Montrose ? insista sa secrétaire. Dois-je le faire entrer ?

— Oh, si vous y tenez absolument, rétorqua Merry d'un ton rogue, avant d'appuyer brutalement sur le bouton de déconnexion de l'Interphone.

Elle écarta les photos de l'actrice et du jardinier,

et prit celles d'un physicien nucléaire et d'une diva du rock au nombril orné d'un piercing.

Trop différents, jugea-t-elle.

Une ombre passa soudain devant elle, et elle releva les yeux. Les photos lui tombèrent des mains et sa mauvaise humeur s'évanouit aussitôt.

« C'est lui », décida-t-elle, soudain ragaillardie.

Ainsi, le destin l'aidait à terminer sa mission en lui apportant l'homme sur un plateau. Il ne lui restait plus qu'à trouver la femme.

Tandis qu'elle se levait pour lui serrer la main, elle étudia son visiteur de la tête aux pieds. La puissance et l'énergie qui se dégageaient de sa haute silhouette avaient quelque chose de fascinant. Son visage était très beau : il avait le front large, le nez droit, le menton volontaire, et la bouche ferme et bien dessinée. Cependant, une cicatrice barrait sa joue droite.

— Accident de chantier, dit-il avant qu'elle puisse poser la moindre question.

Sa voix était rauque, presque inaudible, mais son laconisme signifiait clairement qu'il ne voulait aucune intrusion dans sa vie privée, et aucune pitié. Cependant, Merry devina qu'il souffrait.

Il lui était d'autant plus facile de se sentir proche de lui qu'elle-même avait subi une horrible transformation qui lui avait fait perdre sa beauté. Heureusement pour elle, cette transformation était réversible.

Qui se marierait avec lui ? La jeune star du rock ? se demanda-t-elle en tirant discrètement la photo vers elle. Non. Il fallait une femme hors du commun pour cet homme exceptionnel.

Soudain, il se leva et marcha vers la fenêtre, et Merry réalisa que son examen empli de curiosité avait dû le mettre mal à l'aise.

— Il existe plusieurs possibilités d'implantation, dit-elle en le rejoignant. Par exemple près de la piscine. Nous voulons avant tout un édifice discret et de bon goût. Voyez-vous, il semble que cet endroit inspire les amoureux.

« Surtout ces derniers temps », songea-t-elle en dissimulant un sourire.

Il grommela, et elle n'eut pas besoin d'explications plus détaillées pour comprendre ce qu'il en pensait.

— Nous estimons que ce serait un plus pour

l'hôtel d'offrir la possibilité à nos clients de se marier sur place, continua-t-elle gaiement.

— Et une bonne opération financière, je suppose, répondit-il froidement.

Quel cynisme ! songea Merry, tandis qu'un léger doute s'emparait d'elle. Cet homme était aigri et ne possédait pas la moindre fibre romantique. Pouvait-elle, dans ces conditions, faire quelque chose pour lui ? La magie était une chose, mais les miracles en étaient une tout autre.

— J'aimerais savoir ce qui vous intéresse dans ce chantier, dit-elle d'un ton prudent. Votre réputation m'incitait tout naturellement à croire que vous refuseriez un travail aussi modeste.

— J'avais besoin de faire une pause, répliqua-t-il.

— Bien, répondit Merry, tandis que son esprit continuait à bouillonner.

Peut-être n'était-il pas le bon candidat, après tout. Dans ces conditions, il lui restait la solution de réunir l'actrice et le nouvel homme d'entretien qu'elle venait d'engager. Blond, les yeux bleus, la silhouette d'un dieu grec…

A la réflexion, elle n'avait pas très envie de trouver une fiancée à ce jardinier. Que lui arrivait-il ? Elle n'avait jamais eu le moindre état d'âme quand il s'agissait de former des couples. Peu importe ! Elle verrait cela plus tard.

Tout à coup, Rick se détourna de la fenêtre, et l'expression farouche qui brillait dans ses yeux se radoucit.

— J'ai l'impression d'avoir été attiré ici par quelque chose de plus fort que ma volonté, avoua-t-il.

Merry retint un cri de joie. C'était bien lui, finalement. Mais qui allait-elle lui proposer ? Elle avait envie de le pousser sans cérémonie hors de son bureau, afin de se plonger immédiatement dans ses dossiers.

Elle sentit un frisson d'excitation courir sous sa peau, et réalisa avec surprise que sa joie ne se résumait pas seulement à la perspective de rompre le sort. Non, il y avait quelque chose chez cet homme qui lui donnait envie de faire entrer l'amour dans sa vie et de le rendre enfin heureux.

Soudain, elle le vit se figer, comme s'il venait de cesser de respirer.

Intriguée, elle suivit son regard et découvrit qu'il observait Cynthia Forsythe, l'une des clientes dont elle avait étudié le dossier quelques minutes plus tôt. Jeune, ravissante, et dotée d'un merveilleux caractère, c'était une excellente candidate au mariage. Mais il y avait cependant un problème, et de taille : sa mère, la célèbre romancière historique Emma Bluebell, s'était mis en tête de lui trouver le mari idéal, sans se soucier le moins du monde de son avis.

— Cynthia, murmura Rick.

Merry sursauta.

— Vous la connaissez ?

Son expression se durcit, et une lueur glaciale traversa son regard.

— Je l'ai connue, autrefois.

— Je serais ravie de vous présenter de nouveau.

— Non, répondit-il d'un ton brusque. En fait, je préférerais que vous ne lui parliez pas de moi.

Merry sentit son pouls s'accélérer. Que rêver de mieux pour sa dernière mission ? Qu'importe la raison pour laquelle ils s'étaient séparés, ou n'avaient pas pu concrétiser leur histoire. Elle allait changer le cours du destin et les faire se retrouver.

Il lui restait à espérer que ses pouvoirs magiques soient assez forts pour contrer la résistance qu'elle sentait chez cet homme. Si elle échouait, elle resterait prisonnière à jamais de cette enveloppe haïe. Pourtant, quelque chose la poussait à aider cet homme. Elle éprouvait pour lui une compassion dont elle aurait été incapable autrefois.

Même s'il lui en coûtait de le reconnaître, elle s'était beaucoup améliorée durant ces longues années d'envoûtement. La preuve en était qu'elle était aujourd'hui capable de faire passer le bonheur de deux inconnus avant le sien.

« Eh bien, va pour Rick et Cynthia ! » décida-t-elle.

Machinalement, elle se mit à chantonner la marche nuptiale, et retint un sourire en voyant Rick sursauter.

1.

— Non !

Cynthia s'émerveilla du pouvoir immense de ce simple mot. Elle l'employait rarement avec sa mère, la célèbre romancière Emma Bluebell, et elle s'attendait à en éprouver une vague culpabilité.

Eh bien, pas du tout ! Elle se sentait à la fois soulagée et ravie de son audace.

Sa mère, vêtue d'un déshabillé Chanel, les cheveux fraîchement teints en châtain foncé, se tenait dans l'embrasure de la porte qui faisait communiquer leurs deux suites.

— Comment cela, non ? demanda cette dernière, comme si elle n'était pas sûre d'avoir bien compris. Tu ne peux pas refuser comme ça de le rencontrer. Je te rappelle qu'il s'agit d'un véritable baron allemand. Il n'a que deux ans de plus que toi, et c'est l'un des industriels les plus riches d'Europe. N'est-ce pas terriblement excitant ?

— Non, répéta Cynthia.

Sa mère écarquilla ses yeux noisette lourdement cernés de fard.

— Tu ne trouves pas cela excitant ?

Pas vraiment, non. En tout cas, pas plus que ses récentes rencontres avec un grand patron de presse, un magnat du pétrole et un richissime financier.

— Je t'ai dit que je ne viendrai pas, dit Cynthia avec fermeté.

— Tu ne te rends décidément pas compte de la chance que tu as, ma pauvre petite, protesta sa mère. Cet endroit est fantastique. Beaucoup mieux que la Toscane, que je trouve finalement très surfaite. Et l'hôtel est absolument merveilleux. En outre, on y fait des rencontres exceptionnelles. Je t'assure, il faut que tu viennes.

Mais Cynthia avait découvert — un peu tardivement, et avec beaucoup de surprise — que rien ne l'obligeait à se plier sans cesse aux exigences de sa mère. Les bras croisés sur sa poitrine, elle répéta le mot magique.

— Non.

Sa mère prit une expression profondément attristée.

— Mais pourquoi me parles-tu comme ça ?

— Je suis fatiguée.

— C'est justement pour cette raison que je t'ai offert ces vacances. Je reconnais que je t'ai fait travailler trop dur, ces derniers temps.

— Non, répéta Cynthia.

Maintenant qu'elle avait découvert le pouvoir de ce mot, il était devenu comme une drogue, et il lui semblait qu'elle ne pouvait plus répondre autre chose. Quant à sa fatigue, il ne s'agissait pas d'une excuse derrière laquelle elle essayait de se retrancher. En tant qu'assistante de sa mère, elle devait non seulement effectuer de nombreuses recherches historiques, mais elle organisait également toutes ses activités mondaines. Alors, oui, elle était véritablement épuisée.

Etait-elle malheureuse ? Sans doute un peu, même si elle ne se plaignait jamais. En fait, elle n'était pas très sûre de ce qu'elle ressentait. Elle traversait la vie comme une marionnette de bois, exécutant les gestes qu'on attendait d'elle, tout en restant étrangement détachée.

— S'il s'agit vraiment de vacances, alors laisse-moi un peu respirer, protesta-t-elle. J'ai besoin de passer du temps seule avec moi-même.

— Ne dis pas de sottises, voyons ! s'indigna sa mère. Comment veux-tu rencontrer quelqu'un de bien si tu ne mets pas le nez hors de ta chambre ?

Cynthia ferma brièvement les paupières. Ce soir, il s'agissait d'un industriel allemand. Aristocrate, de surcroît. Hier, c'était le soporifique mais richissime Maxwell Davies. Si elle n'y mettait pas le holà, demain ce serait probablement le comte Dracula, pour peu qu'il soit en vacances dans la région, et toujours célibataire.

On frappa lourdement à la porte d'Emma, et une voix masculine s'éleva.

— Petit oiseau, mais que faites-vous ? Je vous attends depuis un quart d'heure.

Rouvrant les yeux, Cynthia vit entrer Jérôme Carrington, un play-boy à l'épaisse chevelure argentée que sa mère venait de rencontrer. A sa connaissance, il était le seul à oser lui donner un surnom.

— Bonsoir, Cynthia, marmonna-t-il.

Puis il se tourna vers Emma, l'air profondément agacé.

— Vous aviez dit 21 heures, et je vous signale qu'il est 21 h 15 !

Contre toute attente, Emma ne dit rien. Elle n'était pourtant pas du genre à accepter la critique. Surtout pour un retard aussi infime.

— C'est à cause de Cynthia, gémit-elle. Cela fait des *heures* que j'essaie de la raisonner. Je me suis débrouillée pour nous organiser une soirée délicieuse, et elle ne veut pas venir. Jérôme, je vous en prie, faites quelque chose !

— Si vous y tenez.

Tournant le dos à Emma, il adressa à Cynthia un regard pétillant de malice.

— Quel âge avez-vous, chère enfant ?

— Vingt-six ans.

— Vraiment ? Eh bien, vous me semblez assez grande pour savoir ce que vous voulez faire de votre soirée.

Sur ces mots, il prit Emma par le bras et l'entraîna vers la porte.

— Dépêchez-vous, ma chère. Je meurs de faim.

— Oh, mais… je…

Emma lança un coup d'œil désespéré vers sa fille, puis se résigna à suivre son chevalier servant.

— Bien. Mais il faudra que nous ayons une petite conversation plus tard, Cynthia.

Beaucoup plus tard, espéra cette dernière, tandis qu'elle fermait la porte derrière le couple.

Regagnant sa chambre, elle ouvrit sa valise et en sortit un roman sentimental, que sa mère qualifierait sans doute de ridicule. Puis elle enfila son pyjama, se prépara une tasse de cacao dans la kitchenette, et se mit au lit.

Par la porte-fenêtre entrouverte lui parvenaient le murmure de l'océan et le pépiement des oiseaux de nuit. Une brise tiède soufflait, déplaçant des odeurs de fleurs tropicales. Avec un soupir de bien-être, elle se plongea dans les aventures de Jasmine et du sheik.

Mais au lieu de la charmer, de la transporter dans un autre monde, le roman semblait éveiller en elle une insatiable envie d'exister vraiment, le désir de connaître une autre vie.

Au bout d'une heure, Cynthia referma le livre d'un geste agacé et le posa sur sa table de chevet. Pourquoi restait-elle enfermée dans sa chambre à lire des aventures fictives, quand le monde réel l'attendait dehors, exotique et fabuleux ? Pas le monde de sa mère, fait de restaurants cinq étoiles et de boîtes de nuit à la mode. Non, elle pensait plutôt à une crique déserte, d'une beauté sauvage et rude. Aux vagues qui viendraient mourir à ses pieds en un doux clapotis ressemblant à un soupir. A des poissons aux couleurs chatoyantes, et des oiseaux prenant leur envol dans un bruissement d'ailes…

Elle jeta un coup d'œil à sa pendulette et eut un rire moqueur. « Ma pauvre fille ! » murmura-t-elle. A cette heure-ci, il faisait presque noir et elle ne verrait rien du tout. Puis elle réalisa qu'elle réagissait comme sa mère. Cela lui arrivait assez régulièrement, ces derniers temps.

Mue par une soudaine impulsion, elle se leva et se dirigea vers la salle de bains. Postée devant le miroir, elle se détailla sans concession. Son pyjama — un cadeau de Noël de sa mère — dissimulait ses formes. Ses cheveux châtain clair étaient noués en queue-de-cheval avec un simple élastique, et derrière ses lunettes à épaisse monture d'écaille, on devinait à peine la couleur de ses yeux.

— Mon Dieu, ma pauvre Cynthia, murmura-t-elle. Tu es pathétique. A vingt-six ans, tu as l'air d'une petite vieille toute fripée.

Bien sûr, il suffirait d'un peu de maquillage

pour rehausser le galbe de ses pommettes ou la générosité de ses lèvres. Et, si elle le voulait, elle pourrait donner à ses yeux noisette un éclat vert, ou or. Mais à quoi bon ?

Pour elle, passer une bonne soirée se résumait à lire un roman d'amour. Elle ressemblait tout à fait à ce qu'elle était : une obscure assistante qui n'avait jamais rien vécu d'extraordinaire.

Pourtant, ce n'était pas tout à fait vrai. Il y a bien longtemps, elle s'était promenée à moto avec le plus beau garçon du monde. Les bras noués autour de sa taille, la joue appuyée sur son épaule, elle avait ri et poussé des cris de joie, grisée par la vitesse et le vent qui la giflait au visage et faisait voler ses cheveux. Il avait les yeux d'un bleu incroyable, presque marine, et le plus éclatant des sourires. Elle l'avait rencontré au lycée. C'était un des rares établissements de la région qui pratiquait la mixité sociale. Car ce jeune homme était pauvre. A l'époque, il habitait du mauvais côté de la ville. Aujourd'hui, c'était devenu un quartier recherché par les intellectuels et les artistes, et — ironie du sort — elle habitait désormais à cinq cents mètres de l'humble pavillon où il vivait alors.

Cela faisait des années qu'elle n'avait plus

pensé à lui, et elle ignorait pourquoi son image lui revenait tout à coup.

Elle balaya ce souvenir, mais l'étrange mélange de plaisir et de peine qu'il avait éveillé subsista, ne faisant qu'aggraver son sentiment de désœuvrement.

Que pourrait-elle bien faire pour se changer les idées ? Il était encore temps de rejoindre sa mère et Jérôme. Ils devaient être en train de danser, et à dire vrai, la perspective de voir sa mère en train de sautiller et s'agiter comme une adolescente ne la tentait pas vraiment.

Cynthia quitta la salle de bains, se dirigea vers la porte-fenêtre qui donnait sur la terrasse en teck et s'accouda à la rambarde. Le regard perdu au loin, elle inspira longuement l'air iodé. C'était une belle nuit, douce et encore claire, et elle pouvait distinguer nettement la masse sombre des vagues qui venaient mourir sur le sable.

Etrangement apaisée, elle s'abandonna à la magie de ce moment d'harmonie, et resta là, à contempler le paysage jusqu'à ce que la nuit tombe. Des milliers de petites lumières s'allumèrent soudain, semblant danser à la surface de l'eau, et elle les observa avec fascination.

Ce soir, il lui semblait que l'eau s'illuminait uniquement pour elle, comme pour l'inviter à sortir.

Une fois encore, elle entendit au fond de sa tête la voix de sa mère la réprimander : « Tu ne vas pas aller nager au beau milieu de la nuit. Et seule, en plus. Ce serait de la folie. »

Mais cela ne lui semblait pas si déraisonnable que cela. Elle était une excellente nageuse. Et les seuls résidents de l'île se résumaient aux clients de l'hôtel, triés sur le volet. En outre, le seul accès se faisait par un ferry privé. Il y avait bien les employés, mais ils étaient tous assez âgés, et parfaitement inoffensifs. En fait, les personnes vraiment dangereuses — celles contre qui sa mère l'avait mise en garde depuis sa plus tendre enfance — se trouvaient sur le continent.

Alors si elle devait faire quelque chose d'un tant soit peu aventureux, c'était l'endroit parfait.

Très vite, avant d'avoir le temps de changer d'avis, Cynthia retourna à la salle de bains pour enfiler son maillot, un modèle une pièce assez couvrant. Au moins, elle n'avait pas à avoir honte de sa silhouette, songea-t-elle, avant d'enfiler une longue tunique en coton indien.

Elle éteignit toutes les lumières, pour que sa mère la croie endormie quand elle rentrerait, traversa discrètement l'hôtel et les jardins, et gagna l'escalier de bois qui menait à la plage.

Bien qu'il fût déjà tard, l'air était doux et lui faisait l'effet d'une caresse sur sa peau. Ainsi qu'elle l'avait espéré, la plage était déserte. Elle posa sa serviette sur le sable, ôta ses chaussures de tennis et se débarrassa de sa tunique.

Puis elle avança dans l'eau tiède et inspira à pleins poumons. L'air était chargé d'une odeur enivrante. Celle de la mer, de la nuit, et du mystère.

Elle était complètement seule et, tandis qu'elle s'enfonçait lentement dans l'eau, une idée saugrenue lui vint.

Si elle en profitait pour se baigner nue ?

Scandaleux ! lui souffla une fois de plus la voix de sa mère. Mais, à la vérité, ce n'était pas du tout son genre de faire une chose pareille. D'un autre côté, elle ne savait pas vraiment quelle femme il fallait être pour agir ainsi. Sans doute une femme à l'esprit libre, amoureuse de la vie, aventureuse, débordante d'humour… Pas quelqu'un de fatigué ou de triste, en tout cas.

Une femme qui aimait le genre de choses que sa mère désapprouvait.

Cela suffit à décider Cynthia. Pour une fois, elle allait faire preuve d'audace. Elle allait s'offrir un minuscule coup de folie. Ce soir, pendant quelques minutes, elle serait libre et intrépide.

Aussitôt, elle se débarrassa de son maillot de bain, et savoura la caresse incroyablement sensuelle de l'air tiède sur sa peau. Puis elle s'enfonça dans l'eau, et trouva la sensation plus délicieuse encore. C'était comme si elle était enveloppée par de la soie liquide. Elle se sentait merveilleusement bien, et il lui semblait que tous les pores de son corps s'ouvraient à la vie.

Avec un grand éclat de rire, elle se mit à nager, à sauter et à danser dans l'eau. Puis, épuisée mais heureuse, elle se laissa flotter sur le dos, bercée par l'eau sombre qui se confondait avec le ciel d'encre.

Tout à coup, elle entendit un bruit étouffé venant de la plage. Inquiète à l'idée de se faire surprendre dans cette situation, elle s'empressa de se glisser dans l'eau. Elle aperçut la flamme caractéristique d'une allumette, puis le bout rougeoyant d'une cigarette. Non, d'un cigare. L'arôme un peu âcre du tabac se déroulait en volutes jusqu'à elle dans l'obscurité. Etant donné que peu de femmes fumaient le cigare, il y avait donc un homme sur la plage. Et elle était nue dans l'eau. Complètement vulnérable, l'informa la voix de sa mère, avec un petit claquement de langue satisfait. Voilà où menait le goût de l'aventure : vers l'imprévisible, le danger, et les ennuis.

La jeune femme s'obligea à réfléchir très vite. Elle pouvait nager jusqu'à être hors de vue de l'intrus, et ressortir plus loin sur la plage. Mais il lui faudrait alors abandonner ses vêtements. Elle s'était peut-être imaginé pendant quelques minutes qu'elle était une femme libre et audacieuse, mais elle ne se sentait vraiment pas le courage de traverser tout l'hôtel en tenue d'Eve.

Elle pouvait aussi attendre. C'est ce qu'elle fit. Mais les minutes passèrent, interminables, et l'homme était toujours là. Les yeux de Cynthia s'étaient à présent habitués à l'obscurité, et elle distinguait sans peine les contours de sa silhouette puissante. Il s'agissait bien d'un homme. Impossible de s'y tromper.

Savait-il qu'elle se trouvait là ? L'avait-il entendue ? Avait-il trouvé sa serviette, ses chaussures et sa tunique sur le sable ?

Quoi qu'il en soit, cette mésaventure ne pouvait se terminer que de façon très embarrassante. Et peut-être même dangereuse.

« Cynthia Forsythe, se tança-t-elle en silence. Tu aurais dû savoir que tu n'étais pas faite pour l'aventure ! »

Rick Barnett s'était découvert un amour inconditionnel pour la nuit. Elle le protégeait des regards curieux. En effet, sa cicatrice le complexait beaucoup, et il avait du mal à assumer son visage depuis l'accident.

Ce soir, il était venu repérer les emplacements possibles pour la future chapelle. Merry Montrose, l'étrange directrice de l'hôtel, au regard bien trop juvénile pour son âge et d'une surprenante couleur violette, lui en avait indiqué plusieurs, mais aucun ne le satisfaisait.

Peut-être était-ce une erreur d'avoir accepté ce chantier.

Il était quelqu'un de cynique par nature. Il l'était déjà bien avant cet accident qui avait marqué son visage, et avait écrasé son larynx au point de réduire sa voix au grognement d'un animal. Mais aujourd'hui, il l'était plus encore, à cause de la façon dont les femmes détournaient le regard en l'apercevant. Six mois s'étaient écoulés depuis ce drame, et son agenda restait désespérément vide. Il fréquentait une femme, à l'époque de l'accident, et il croyait même que c'était sérieux. Mais elle avait lâchement quitté le navire pendant qu'il sombrait.

Les médecins lui avaient affirmé que sa cicatrice s'estomperait avec le temps. Mais il ne voyait pas vraiment de changement.

Dans ces conditions, il n'avait vraiment aucune raison de croire à l'amour. D'ailleurs, il n'était pas très sûr de croire encore en quelque chose.

Et comme si sa vie n'était pas déjà assez compliquée, il avait fallu qu'il aperçoive Cynthia Forsythe à l'hôtel. Quelles étaient les probabilités que cela se produise ? Le destin semblait décidément bien s'amuser à ses dépens.

Autrefois, il aurait adoré rencontrer par hasard celle qui l'avait rejeté parce qu'il était pauvre, et la narguer avec ses riches conquêtes. Aujourd'hui, il n'avait aucune envie de la voir.

Il espérait même qu'elle quitte très vite l'hôtel avant que leurs chemins ne se croisent.

Tandis qu'il réfléchissait, ses pas le menèrent jusqu'à une falaise à l'est de la plage, et un picotement s'éveilla à la base de son cou tandis qu'il découvrait cet endroit extraordinairement paisible et envoûtant, d'une beauté sauvage et rude. Canalisée entre d'immenses blocs de roche, au milieu d'une végétation qu'aucun jardinier n'avait domestiquée, l'eau y formait en contrebas une série de réservoirs naturels. Il en émanait une impression magique, émouvante et terriblement romantique, et il sut avec certitude que c'était là. Il avait trouvé l'endroit où bâtir la chapelle.

N'était-ce pas terriblement hypocrite pour un homme qui ne croyait plus à l'amour de construire un endroit où des centaines de couples se marieraient ?

Probablement. Et pourtant, tandis qu'il se tenait sur ce promontoire rocheux, il avait l'impression de se trouver au cœur même de la chapelle. Il sentait l'esprit du bâtiment l'envelopper, comme si celui-ci était doté d'une vie propre.

Un rire de femme s'éleva tout à coup dans la nuit, libre et joyeux. Il sentit de nouveau les picotements courir sous sa peau. C'était comme si le destin riait de son refus de croire à l'amour.

Intrigué, il avança jusqu'au bord de la falaise et vit une femme qui nageait seule dans la baie. Les lucioles formaient un halo autour d'elle, éclairant son corps, et il constata avec amusement qu'elle était nue.

Elle rit de nouveau, et il frissonna.

Cynthia ! Il reconnaîtrait son rire entre mille. Il ne l'avait jamais oublié depuis cette équipée sauvage à moto. La façon dont elle l'avait rejeté lui revint alors, et se mêla à toutes les autres rebuffades qu'il avait connues plus récemment, ne faisant qu'accroître son amertume.

Soudain, une idée diabolique le traversa. C'était puéril et bêtement vindicatif, mais il s'en moquait. Ce qui lui importait, c'était de faire payer à quelqu'un toutes les souffrances que les femmes lui avaient fait subir.

Il gagna la plage et trouva sans peine ce qu'il cherchait. Une tunique et des chaussures de tennis jetées au hasard, et, un peu plus loin sur le rivage, un maillot de bain une pièce — tout à fait le genre de modèle ingrat qu'aimait Cynthia.

Il s'assit sur une large pièce de bois que la mer avait déposée là, et alluma un cigare.

Puis il attendit. Mais Cynthia ne broncha pas, espérant sans doute qu'il se lasserait et finirait par s'en aller. Comme elle se trompait ! Il n'avait rien de spécial à faire et pouvait rester là toute la nuit s'il le fallait.

Finalement, une voix s'éleva, chevrotante.

— S'il vous plaît ? appela-t-elle. Il y a quelqu'un ?

Rick se sentit vaguement penaud. Son intention était de la mettre dans l'embarras, pas de lui faire peur.

— Oui.

Le grognement qui était sorti de sa gorge avait dû la déconcerter, car elle observa quelques instants de silence.

— Vous me surprenez dans une situation un peu délicate, dit-elle d'une voix penaude. Auriez-vous la gentillesse de vous éloigner pendant que je sors de l'eau ?

— Non.

Ses efforts de politesse s'évanouirent, et elle rétorqua sèchement :

— C'est ce que ferait un homme du monde.

— Je ne suis pas un homme du monde, répliqua Rick.

Et sa voix rocailleuse en attesta. En réalité, l'image qui lui venait quand il se regardait dans un miroir était celle d'un pirate affreusement balafré. Mademoiselle la Snob s'enfuirait sans doute à la nage dans la direction opposée si elle pouvait deviner à quoi il ressemblait désormais.

— Ecoutez, je serais navrée de devoir prévenir les autorités…

Cette remarque le fit sourire. Il n'y avait pas de service de police sur l'île. Puis son soudain accès de bonne humeur se dissipa. Cynthia avait toujours cette voix aristocratique et autoritaire, et l'intonation d'une personne habituée à être écoutée et obéie.

— Et qu'auriez-vous à leur dire ? Je prends gentiment l'air sur la plage, dans une tenue tout à fait décente. C'est vous qui bafouez la bienséance en vous baignant nue.

Il l'entendit hoqueter de surprise.

— Comment pouvez-vous le savoir ? Il fait nuit.

Malgré l'agressivité du ton, il discerna une note de supplique dans la voix de la jeune femme.

Elle espérait qu'il ne l'avait pas vue. Etait-elle toujours aussi prude ? Impossible ! Elle avait vingt-six ans, aujourd'hui. Un homme avait dû balayer ses beaux principes et réveiller sa sensualité étouffée.

Préférant ne pas y penser, il marcha jusqu'au tas de vêtements et les bouscula du bout du pied.

— Votre maillot est sur la plage, dit-il.

A bien y réfléchir, ce n'était pas le genre de maillot que porterait une femme épanouie, bien dans son corps et sûre de sa séduction. Mais peut-être avait-elle un mari jaloux ?

Cette idée lui déplut souverainement. Pourquoi aurait-elle une vie de famille réussie, alors que, de son côté, il était si malheureux ?

— Je vous propose un marché, annonça-t-il.

— Dites toujours.

Il ne put s'empêcher d'admirer la force de caractère qui la poussait à lui tenir tête, alors même qu'elle n'était pas en situation de négocier.

— Je tourne le dos pendant que vous sortez de l'eau.

— Vous n'avez pas mieux à offrir ?

Au moins, elle n'était plus effrayée. Elle était toujours furieuse, mais pas inquiète.

— En fait, il y a une condition.

— Laquelle ? demanda-t-elle d'un ton prudent.

— Un baiser.

— Vous êtes fou ! protesta-t-elle avec virulence.

— Peut-être.

— Quel genre de baiser ?

— A votre avis ?

— Sur la joue ? demanda-t-elle d'un ton plein d'espoir.

— Cherchez mieux.

— Vous ne voulez quand même pas que je vous embrasse sur la bouche ? Je ne vous connais pas. Et en plus, vous avez fumé un cigare.

Etrangement, elle semblait plus préoccupée par ce dernier aspect des choses que par le fait qu'il lui soit inconnu.

— C'est à prendre ou à laisser, déclara-t-il en lui tournant le dos. Je compte jusqu'à vingt et je me retourne.

— Oh, vous êtes impossible ! C'est… c'est absurde, voyons.

— Un… deux… trois…

Il l'entendit soudain nager vers la plage et sortir de l'eau, et dut faire un effort pour ne pas jeter un coup d'œil par-dessus son épaule.

Soudain, il sentit qu'elle était juste derrière lui, et il retint son souffle. Elle aurait pu ramasser ses vêtements et partir en courant. Mais elle n'en fit rien, et il l'entendit batailler pour enfiler son maillot de bain, dont l'étoffe sèche collait à sa peau humide.

— Voilà, annonça-t-elle d'un ton royal. Vous pouvez vous retourner.

— Fermez les yeux, lui ordonna-t-il.

— J'ai compris, dit-elle d'un ton résigné. Vous ne voulez pas que je puisse donner votre signalement.

Lorsqu'il se retourna, elle avait les yeux fermés, et il en profita pour détailler son visage. Elle était toujours aussi belle, avec ses pommettes hautes, son petit nez retroussé et ses lèvres pleines. Sa silhouette était restée fine et gracieuse, tout en gagnant quelques rondeurs troublantes. Elle n'était plus une adolescente, mais une femme. Faisant ce constat, Rick réalisa qu'il ne la connaissait pas. En tout cas, pas telle qu'elle était aujourd'hui.

— Qu'auriez-vous à signaler ? demanda-t-il,

en essayant de moduler les inflexions brutales de sa voix. Qu'un pirate jailli de la mer vous a soudain embrassée ?

— Finissons-en, dit-elle d'un ton glacial. Et si votre haleine sent le cigare, je risque de vomir sur vos chaussures.

Avec une infinie lenteur, il l'attira à lui, et posa avec douceur ses lèvres sur les siennes. Son baiser, d'abord tendre, s'embrasa tout à coup, et, loin de se débattre, Cynthia y répondit avec un surprenant mélange d'innocence et d'ardeur.

— Dois-je craindre des représailles de la part de votre mari ? demanda-t-il quand leurs lèvres se séparèrent.

Son intuition ne lui suffisait pas. Il devait savoir.

— Je ne suis pas mariée, répondit-elle d'une voix frémissante.

— Ah.

Il recula, vit ses paupières tressaillir, et résista à l'envie de revoir ses yeux, dont la couleur, d'un vert profond pailleté d'or, exerçait autrefois sur lui un pouvoir hypnotique.

— Bonne nuit, jolie dame, murmura-t-il avant de tourner rapidement les talons.

Loin de se sentir satisfait de cette revanche, il

était au contraire profondément bouleversé par ces retrouvailles avec son amour de jeunesse. Hélas, pas plus qu'hier il n'était celui qu'il fallait à une femme aussi exceptionnelle. Car Cynthia était une déesse. Et s'il avait eu le moindre doute, la douleur que provoquait sa cicatrice encore fraîche était là pour le lui rappeler.

2.

Une main portée à ses lèvres, Cynthia fixait le chemin bordé de palmiers où s'était engagé l'inconnu. Il avait complètement disparu, avalé par l'obscurité, et elle se demanda si elle n'avait pas eu affaire à un fantôme.

Tandis que le vent caressait son corps humide et s'engouffrait dans ses cheveux, elle se sentit soudain emplie d'un étrange pouvoir, comme si elle était une déesse vénérée par l'océan et les ténèbres.

— Un fantôme, une déesse, murmura-t-elle d'un ton moqueur. Tu as décidément trop d'imagination, ma pauvre fille.

Elle se pencha pour ramasser sa serviette et se résigna à rentrer. Il lui était pourtant difficile de renoncer à cette image inédite d'elle-même, celle d'une femme suffisamment séduisante pour inciter un homme à agir comme l'avait fait l'inconnu.

Etrangement, rien de tout cela ne lui avait semblé bizarre. C'était comme si elle connaissait cet homme depuis toujours, comme si sa place était dans ses bras. Dans son baiser, elle avait compris beaucoup de choses, découvert celui qu'il était au plus profond de son âme. C'était à l'évidence un homme fort, déterminé et intègre, et capable d'affronter l'adversité sans jamais vaciller ou prendre la fuite. Elle le devinait aussi doux et tendre. Et, à en juger par son audace, incontestablement très passionné. Faire l'amour avec lui serait sûrement une expérience inoubliable...

Cette pensée à peine formulée, elle rougit et se reprocha sa désinvolture. Elle avait été victime d'un chantage odieux. Pourquoi lui cherchait-elle des excuses ? Il ne devait pas être un homme si bien que ça pour agir de la sorte. Qui de nos jours demandait un baiser en échange d'un comportement civilisé ? Il y avait de quoi s'indigner.

Oh, et puis flûte ! Elle n'allait pas se forcer à réagir comme sa mère l'aurait souhaité.

Evidemment, elle aurait pu refuser. Ou le

repousser quand il était devenu un peu trop insistant. Mais un marché était un marché. Même avec un barbare.

D'accord. Elle n'allait pas se mentir plus longtemps. Elle l'avait laissé aller plus loin que prévu parce que son baiser l'avait ensorcelée. Il lui avait ouvert les portes d'un monde nouveau, fait de sensations enivrantes. Tout à coup, elle avait découvert un univers où les interdits et les conventions n'existaient pas, aussi énigmatique et insolite qu'un lointain territoire encore inexploré. Pour la première fois, elle se découvrait femme, et elle avait le sentiment de vivre enfin.

Comme une princesse tirée du sommeil par un baiser, songea-t-elle. Puis elle reprit ses esprits et rit de sa propre candeur. Il fallait que sa vie soit bien insipide pour que cette petite mésaventure la mette dans un tel état !

De retour dans sa suite, elle constata avec soulagement que sa mère n'était pas rentrée et se précipita dans la salle de bains. Appuyée contre la porte, elle ferma les yeux et, songeant à l'homme de la plage, se sentit vibrer tout entière au souvenir de son odeur et du goût de ses lèvres.

— Ça suffit, s'ordonna-t-elle. Reprends-toi et pense à autre chose.

Forte de ces bonnes résolutions, elle se glissa sous la douche et laissa longuement ruisseler l'eau fraîche sur son corps brûlant, en espérant ainsi effacer en elle toute trace de désir et chasser jusqu'au souvenir de ce stupide baiser.

Au moment d'enfiler son pyjama, elle remarqua le motif représentant des petits lapins qui était brodé dessus. Elle n'y avait jamais prêté attention auparavant, mais il lui semblait tout à coup insupportable.

Ainsi, en quelques heures, elle avait fait trois découvertes importantes : elle aimait marcher pieds nus dans le sable tiède, elle aimait nager nue, et elle ferait n'importe quoi pour être embrassée encore une fois comme tout à l'heure. En conclusion, elle n'était pas le genre de femme à porter des pyjamas avec des petits lapins !

Après avoir enfilé un T-shirt et une culotte en coton blanc, elle se glissa au lit et attrapa son roman. Le titre la fit sursauter. *Le baiser du désert*. Il n'y avait pas à chercher plus loin la raison de sa fébrilité et de cette sensation de manque qui lui nouait le ventre. Voilà ce qu'on gagnait à dévorer des romans sentimentaux ! L'imagination s'emballait, les sens s'émoustillaient, et on faisait n'importe quoi. Pas étonnant qu'elle ait été bouleversée par un simple baiser ! Sa mère avait raison, ce genre de romans n'avait aucun intérêt.

D'un geste décidé, elle le jeta dans la corbeille à papier. Puis elle se laissa aller contre ses oreillers et se demanda par quel autre passe-temps elle pourrait remplacer la lecture. La photographie ? L'ornithologie ?

Non, lui souffla une petite voix qui cette fois n'était pas celle de sa mère. Quelque chose de plus excitant.

Le skate-board ? Le ski nautique ?

Non. Pas assez audacieux.

Bon, alors, le parachutisme ? Le saut à l'élastique ?

Mais la petite voix lui souffla une autre idée : embrasser à perdre haleine un inconnu sur une plage tropicale.

— Oh, silence ! protesta-t-elle avec fermeté.

La chaude caresse du soleil sur sa joue tira Cynthia du sommeil, mais elle n'ouvrit pas tout de suite les yeux. Dans le confort de son lit, elle se sentait détendue, sensible à son corps, au contact des draps sur sa peau, et il lui était plus facile de penser à ce qui s'était passé la veille. Elle ne reverrait probablement plus jamais cet homme. Ou plutôt elle ne le rencontrerait pas, le terme « voir » étant quelque peu exagéré.

Elle était en train de devenir une vieille fille, désespérée et pathétique, qui s'inventait des scénarios improbables à partir d'une histoire ridicule que la plupart des femmes auraient sans doute jugée offensante.

Si elle se retrouvait de nouveau nez à nez avec cet homme, comment devrait-elle réagir ? En se lamentant ? Certainement pas ! Elle ne lui ferait jamais le plaisir de lui montrer dans quel état de confusion ce baiser l'avait mise. Elle serait froide, posée. Glaciale, même.

On frappa à la porte, et elle enfouit le visage dans son oreiller, peu disposée à reprendre contact avec le monde réel.

Puis elle se mit en tête qu'il pouvait s'agir de lui. Pourquoi pas, puisqu'il lui arrivait désormais des choses étonnantes ? Il pouvait très bien s'être caché pour la suivre, bouleversé et intrigué tout autant qu'elle par ce baiser. Il se trouvait peut-être derrière la porte, avec un bouquet de roses rouges et un sourire d'excuse. Dans ce cas, il allait l'entendre ! Elle ne se ferait pas prier pour lui dire ce qu'elle pensait de son attitude... avant de lui pardonner.

Elle bondit hors du lit, passa une main dans sa chevelure emmêlée et attrapa au passage le plaid qui recouvrait le canapé pour s'en envelopper.

Elle ouvrit la porte à la volée et ne vit personne.

Le retour à la réalité fut brutal quand elle réalisa que les coups provenaient de la porte communicante. Refoulant sa déception, elle alla ouvrir. Sa mère se tenait sur le seuil, parfaitement coiffée et maquillée, et ne paraissait pas fatiguée d'avoir dansé toute la nuit.

— Ma chérie, c'est l'heure du petit déjeuner, annonça-t-elle d'un ton guilleret.

— Tu ne déjeunes jamais, lui rappela Cynthia, vaguement étonnée. Et tu ne te lèves jamais avant midi.

— Le baron Gunterburger m'a invitée à le rejoindre ce matin. Il était très déçu de ne pas te voir hier. D'ailleurs, il est reparti très vite. Mais il m'a fait promettre de t'amener au petit déjeuner.

Emma s'interrompit brutalement et détailla sa fille avec suspicion.

— Que diable étais-tu en train de fabriquer ?

— Je viens juste de sortir du lit.

Pourquoi se sentait-elle aussi coupable ? Comme si elle avait vraiment fait quelque chose de mal. Existait-il une loi qui interdisait de rêver que l'homme qui vous avait embrassée la veille vous apportait des fleurs et vous présentait ses excuses ? Probablement que oui, dans le monde où vivait sa mère. A l'en croire, il y avait des lois et des règlements pour tout !

— Ah oui ? Ça ne te ressemble pas de te lever aussi tard. Et…

Elle plissa les paupières pour mieux la scruter.

— Tu as un drôle d'air.

— De quoi parles-tu ? dit Cynthia en rougissant malgré elle.

— Je ne sais pas… Pour commencer, tu ne portes pas ton pyjama. J'espère que tu n'es pas nue sous ce plaid, au moins.

— Maman !

— Eh bien, tu as l'air… hum… toute chamboulée.

— Chamboulée, répéta Cynthia sans comprendre.

Sa mère la détailla des pieds à la tête et afficha une expression choquée.

— Il y a quelqu'un avec toi ?

Elle avait vingt-six ans, et elle avait le droit de faire ce qu'elle voulait, songea Cynthia dans un brusque élan de révolte.

Mais elle n'osa pas répondre à sa mère que cela ne la regardait pas, et elle s'écarta pour que celle-ci puisse apercevoir son lit vide.

— Bien, bien. Mais tu as quand même un drôle d'air.

— J'ai trop dormi, c'est tout. Je te retrouve en bas dans cinq minutes, d'accord ? Garde-moi une place à côté du baron.

Le visage de sa mère s'éclaira.

— Merveilleux ! Tu vas voir, tu vas l'adorer.

Donc il n'était pas interdit d'adorer un

homme, ni probablement de se laisser « chambouler » par lui pour peu que le soupirant ait reçu l'approbation de sa mère.

Son propre cynisme surprit Cynthia et, tandis qu'elle s'habillait, elle s'efforça de voir les choses de façon positive.

Et si c'était lui ? se demanda-t-elle soudain. Si le baron était l'inconnu qui l'avait embrassée la veille ? Sa mère avait dit qu'il avait quitté la soirée de bonne heure. S'était-il aventuré jusqu'à la plage ?

C'était peu probable, car elle n'avait pas détecté la moindre trace d'accent dans la voix de l'inconnu. Oui, mais dans le milieu du baron, il était courant de faire ses études à l'étranger et de maîtriser plusieurs langues. Et puis ce n'était pas facile à dire avec ces inflexions étouffées et caverneuses.

Au souvenir de cette voix, la jeune femme ne put réprimer un frisson. Elle était rauque et caressante à la fois. Terriblement masculine. Et beaucoup trop sexy !

Une heure plus tard, Cynthia commençait à penser que sa mère avait raison. Il était impossible de ne pas être séduite par le charme du jeune baron. Si elle l'avait rencontré vingt-quatre heures plus tôt, sans doute aurait-elle pu en tomber amoureuse. Blond aux yeux bleus, les traits réguliers et la peau hâlée, il était habillé avec goût et, sous ses vêtements, on devinait un corps musclé. En résumé, il avait tout pour plaire.

Mais il n'était pas l'homme de la plage. Cynthia l'avait su avant même de l'entendre parler. Elle en avait eu la certitude à la minute même où elle était entrée dans le restaurant et l'avait vu discuter avec sa mère.

Au bout d'un moment, elle commença à se lasser de la conversation pourtant brillante du baron, et se mit à jeter de discrets coups d'œil autour d'elle. Et si l'homme de la veille était dans la salle, en train de l'observer ? A cette idée, un frisson d'excitation courut le long de sa colonne vertébrale, et elle essaya de repérer un visage familier parmi les convives. Dans la mesure où elle n'avait pas vu son visage, elle savait que c'était ridicule. Pourtant, elle espérait un signe, un déclic, une intuition.

Le reverrait-elle un jour ? De quelle façon ? Elle ressentait un besoin vital de le rencontrer de nouveau, comme si elle craignait sans cela de retourner à sa léthargie initiale.

Soudain, elle eut l'impression d'être prise au piège entre sa mère et le baron.

— Excusez-moi, dit-elle en reculant sa chaise. Je viens de me rappeler que j'ai quelque chose d'important à faire.

— Ne dis donc pas de sottises, protesta sa mère en lui adressant un regard de mise en garde. C'est pour moi que tu travailles, et il n'y a rien de si urgent pour que nous ne puissions rester quelques minutes de plus avec notre charmant compagnon de table.

Cynthia ne se laissa pas intimider aussi facilement.

— Je regrette, mais je dois y aller.

— Quel dommage ! J'allais justement demander à Wilhelm de te parler de son yacht. Il est ancré dans...

Mais Cynthia avait déjà pris la fuite. Elle savait très précisément où elle devait aller, et ne s'arrêta qu'une fois parvenue à destination.

Elle reconnut à peine la plage. L'endroit était pourtant idyllique. Un vrai paysage de carte postale, avec son sable blanc, sa mer turquoise et ses palmiers dont les branches oscillaient doucement sous la brise. Mais il manquait quelque chose. La magie. Le mystère.

Elle balaya l'endroit du regard, cherchant à retrouver les sensations de la veille. Etait-il possible qu'elle ait tout imaginé ?

Tout en réfléchissant, elle tourna machinalement les yeux vers la falaise et son pouls s'accéléra. Il y avait quelque chose de féerique et d'irréel dans ce promontoire rocheux. Et en y regardant de plus près, l'un des blocs de pierre, au centre de la crique, ressemblait à la silhouette d'un ours. Etrangement, elle ne l'avait pas remarqué auparavant. Avait-il toujours été là ? Forcément ! Un tel amas de roches ne se matérialisait pas en une nuit. Quoi qu'il en soit, elle était certaine que la réponse à ses questions se trouvait là.

— Bonjour, ma chère.

Cynthia tourna la tête, surprise d'entendre une voix aussi proche d'elle. Elle se croyait pourtant seule et n'avait entendu personne approcher. Dissimulant son agacement, elle adressa un signe de tête à la vieille dame qui lui souriait d'un air engageant. Son visage lui disait quelque chose. On ne pouvait pas oublier si aisément des yeux d'une couleur si inhabituelle. Oui, bien sûr ! Elle l'avait vue à la réception de l'hôtel.

— Merry Montrose, dit la nouvelle venue en lui tendant la main.

Cynthia fut surprise par sa force, et par l'étrange flot d'énergie que lui communiquait cette simple poignée de main.

— Cynthia Forsythe.

— Je sais.

Devant son air ébahi, la vieille dame s'empressa d'ajouter :

— Je dirige cette résidence, et je mets un point d'honneur à mémoriser les noms et les visages de tous mes hôtes. Etes-vous satisfaite de votre séjour ?

— C'est un endroit magnifique, se contenta de répondre Cynthia.

— Je comprends, affirma Merry. Les vacances en famille sont parfois un peu pesantes, n'est-ce pas ?

Cynthia eut soudain l'impression de s'être trouvée une complice, et elle sentit sa mauvaise humeur s'estomper.

— J'ai vu que vous observiez la falaise, dit

doucement Merry. Connaissez-vous la légende qui se rattache au rocher de l'ours ?

Cynthia sentit un frisson la parcourir, comme si elle se trouvait sur le point de découvrir un secret qui allait bouleverser sa vie.

— Non, mais je serais ravie que vous me la racontiez.

Merry lui prit le bras et l'entraîna vers un banc, non loin de là.

— C'est une histoire qui nous vient des Indiens Tsimshian. Elle s'appelle « L'ours qui avait épousé une femme ».

Comme en réponse à un appel muet, Cynthia tourna la tête vers le rocher en forme d'ours, tandis que Merry poursuivait, d'une voix basse et envoûtante.

— Il était une fois une veuve qui avait une fille d'une grande beauté. Ses longs cheveux d'ébène lui balayaient la taille, et son regard noir brillait du même éclat que le scintillement du soleil sur la rivière. Elle était douce et travailleuse, et vivait dans une grande pureté. Tous les hommes de la tribu avaient demandé sa main, mais elle les avait tous rejetés, car ils avaient les mains trop douces. Sa mère lui avait en effet donné la consigne suivante : « Quand un homme voudra t'épouser, touche-lui les mains. Si elles sont douces, renvoie-le. Mais si elles sont calleuses, accepte-le. »

Cynthia eut un hoquet de surprise devant cette similitude avec sa propre histoire. L'homme de la plage avait les mains calleuses. Fallait-il n'y voir qu'une coïncidence ?

Merry, perdue dans son histoire, ne remarqua rien et continua du même ton captivant.

— La veuve, dans sa sagesse, voulait un homme courageux pour sa fille, quelqu'un dont les mains auraient été abîmées par le travail.

Cynthia songea que sa mère attendait d'autres qualités de son futur gendre. Des mains de travailleur ne figuraient certainement pas sur sa liste !

— La jeune fille obéit à sa mère et refusa tous les prétendants. Mais un soir, un homme se glissa dans son lit. Dans l'obscurité, elle ne put voir son visage. Mais quand il prit ses mains dans les siennes, elle sentit leur rudesse et son cœur se gonfla de joie. Elle l'accepta pour époux, et lui fit don de sa pureté. Au matin, quand elle se réveilla, son nouveau mari avait disparu, mais elle trouva un flétan devant son tipi. La nuit suivante, l'homme revint voir sa jeune épouse. Une fois encore, il partit avant l'aube, et laissa derrière lui un saumon. Les jeunes époux vécurent ainsi pendant un moment. La jeune femme ne vit jamais le visage de son mari, mais chaque matin, elle trouva un nouveau cadeau. Un jour, la veuve décida de voir à quoi ressemblait son gendre, et le guetta, tapie dans l'ombre. A minuit, elle vit un ours émerger des flots, à la hauteur de la crique près de laquelle se dressait le tipi de sa fille. Lorsqu'il se rendit compte qu'il était observé, l'ours se changea aussitôt en rocher.

Cynthia sentit un nouveau frisson courir le long de sa colonne vertébrale, persuadée que cette histoire avait un lien avec sa rencontre de la veille.

— Alors ? demanda Merry, en voyant qu'elle restait silencieuse. Que pensez-vous de cette légende ?

— Je la trouve très déstabilisante.

— Vraiment ? Pour quelle raison ?

— Pourquoi se transforme-t-il en rocher,

à la fin ? Je ne comprends pas quelle est la morale de l'histoire.

— Les légendes indiennes ne fournissent jamais de réponses toutes faites. Leur rôle est d'inciter celui qui écoute à s'interroger sur lui-même, à comparer sa propre histoire avec les différents éléments de la légende, et à en tirer une leçon.

Malgré cette explication, Cynthia se sentait toujours aussi perplexe.

— Qu'y a-t-il à comprendre dans le fait qu'il se transforme en rocher ?

— Réfléchissez-y. Vous finirez par trouver la réponse.

— Cela me semble bien compliqué. Je ne sais même pas par où commencer.

— Choisissez un des éléments de l'histoire, suggéra Merry. L'ours, par exemple. Réfléchissez à ce que l'ours représente pour vous.

Sur ces mots, elle lui tapota l'épaule, puis s'éloigna d'un pas étonnamment alerte pour son âge.

Cynthia la regarda se diriger vers l'hôtel, avec le sentiment qu'on venait de lui donner à faire un devoir scolaire particulièrement rébarbatif.

Tout cela était décidément très étrange. Elle ne connaissait rien aux ours. Elle ne s'y était jamais intéressée jusqu'à aujourd'hui. La seule chose qu'elle savait, c'est qu'ils étaient des créatures nocturnes.

3.

Le jour s'achevait. Assis à l'ombre d'un arbre au port pleureur, le dos accoté au tronc, Rick noircissait furieusement son carnet à dessin. Autour de lui s'étalaient des feuillets arrachés les uns après les autres, et il savait déjà, tandis qu'il essayait de terminer son dernier croquis avant que tombe la nuit, que cette dernière tentative ne serait pas plus fructueuse que les précédentes.

Malgré ses efforts surhumains pour se concentrer sur son travail, ses pensées le ramenaient sans cesse vers Cynthia et vers ce baiser époustouflant qu'ils avaient échangé sur la plage.

Jamais il n'aurait osé imaginer qu'elle lui réponde avec tant d'ardeur.

Reviendrait-elle sur la plage, cette nuit ? Et si c'était le cas, que devrait-il en déduire ?

Que ferait-il si elle revenait ?

Il gomma d'un geste impétueux le toit qu'il venait de dessiner et essaya autre chose. Cela n'allait pas du tout ! C'était tellement conventionnel, tellement semblable à tout ce qui existait déjà.

Après un dernier regard découragé à son esquisse, il arracha la feuille et la froissa.

Tout à coup, il se crispa. Quelqu'un venait. Il entendait des bruits de pas légers sur le chemin qui montait à la plate-forme rocheuse. Or, il ne voulait voir personne. Il n'avait pas envie de répondre aux questions indiscrètes, ni de montrer ses dessins, et encore moins de prétendre ignorer les regards subreptices jetés à sa cicatrice.

Avait-il toujours été aussi asocial ? Probablement pas. Mais il retirait aujourd'hui de sa solitude un plaisir presque malsain. Il détestait qu'on vienne le déranger dans sa mise en quarantaine volontaire.

Il jeta un coup d'œil autour de lui, à la recherche d'une possible esquive. Par la force des choses, il était passé maître dans l'art de se rendre invisible.

Et si c'était elle ?

S'il s'agissait de Cynthia ? Devinerait-elle

qu'il était le mystérieux homme de la plage ? Comment réagirait-elle, alors ?

Un sourire ironique étira ses lèvres. Elle avait probablement élevé son arrogance à la hauteur d'un art. Après tout, elle avait eu huit ans pour se perfectionner depuis le lycée. Lorsqu'elle apprendrait qu'il était l'homme de la veille — un homme de son passé — il y avait fort à parier qu'elle le giflerait en affichant un air offensé. Ce qu'il méritait probablement.

Alors il lui prendrait les poignets, l'attirerait à lui et s'enivrerait de son parfum avant de…

— Ah, monsieur Barnett ! Je vous trouve enfin.

Rick redescendit brutalement sur terre en découvrant Merry Montrose. Perdu dans ses pensées, il avait laissé passer sa chance de prendre la fuite.

— Est-ce l'endroit que vous avez choisi pour ma chapelle ?

— Je n'ai rien choisi du tout. En réalité, vous arrivez juste au moment où je me demandais si je n'allais pas renoncer à ce projet.

— C'est parfait, dit Merry, comme si elle n'avait rien entendu. Cet endroit est fabuleux.

Je me demande comment je n'y ai pas pensé moi-même.

— Je ne crois pas être l'homme qu'il vous faut, insista Rick.

— Bien sûr que si ! dit-elle en balayant cette remarque d'un geste de la main. La preuve, c'est que vous avez trouvé cet emplacement. Je suis venue me promener par ici des dizaines et des dizaines de fois, et je n'ai jamais remarqué son potentiel.

Elle joignit les mains en signe de ravissement.

— C'est incroyable, je vois déjà la chapelle s'élever devant moi.

— Vous avez de la chance. Moi, je suis à court d'idée. Je ne vois rien du tout.

Merry se pencha pour ramasser une des esquisses, et l'étudia avec attention.

— Celle-ci est jolie.

Il ricana. « Joli » était l'un des mots qu'il détestait le plus. Surtout quand il s'appliquait à son travail.

— Oui, jolie. Ordinaire. Sans inspiration.

— Vous n'en êtes qu'aux premières esquisses. Il est normal que vous piétiniez.

— Le problème, mademoiselle Montrose…

— Merry, s'il vous plaît.

— … c'est que j'ai besoin de comprendre l'utilité d'un bâtiment avant de pouvoir le dessiner.

— Cela me semble pourtant assez clair, répondit Merry en haussant les sourcils. Une chapelle nuptiale sert généralement à célébrer des mariages.

— Mais il se cache toujours autre chose derrière la fonction d'un bâtiment. Quelque chose de plus subtil, de plus compliqué à saisir.

— Vraiment ? Et que croyez-vous qu'il se cache derrière la fonction de cette chapelle, monsieur Barnett ?

— Rick, corrigea-t-il.

Il réfléchit un moment à la question.

— Une chapelle nuptiale évoque des concepts qui me sont totalement étrangers : la confiance, la fidélité, l'amour, l'espoir…

— Je n'en crois rien, dit-elle en agitant le doigt, comme s'il s'agissait de réprimander un enfant désobéissant.

— Sans vouloir vous offenser, Merry, ce n'est pas ce que vous croyez qui compte. J'ai besoin de ressentir ces choses, de les comprendre, avant de dessiner un bâtiment qui les célèbre.

— Franchement, Rick, je crois que vous vous faites plus cynique que vous ne l'êtes en réalité. Je suis persuadée qu'un romantique se cache en vous.

De nouveau, il ricana.

— Cela m'étonnerait beaucoup.

Elle ramassa une autre feuille chiffonnée sur le sol et l'observa quelques instants.

— Quel est le problème avec celle-ci ? Elle est splendide. Bien mieux que tout ce que j'aurais pu imaginer.

De nouveau, elle agita l'index.

— Vilain chenapan ! Ce n'est pas beau de mentir à une vieille dame.

— Mentir ?

— Seul un romantique pouvait dessiner une telle merveille.

Du plat de la main, elle défroissa au mieux la feuille et la lui tendit.

— Ne jetez pas ce croquis.

De toutes ses esquisses, c'était celle qu'il aimait le moins. Cela ressemblait à ces caricatures de château que l'on pouvait trouver dans les parcs d'attraction. Rococo, tarabiscoté, et semblable à une meringue géante.

— Ah oui, dit-il d'un ton cynique. Les contes

de fées, le prince charmant, les « ils vécurent heureux et eurent beaucoup d'enfants »... Toutes ces stupidités.

— Vous avez fort joliment restitué cela, pour un homme qui n'y croit pas.

Sentant monter un mal de tête, Rick se massa le front.

— Comme je vous l'ai dit, je ne suis pas sûr qu'il s'agisse d'un travail pour moi.

— Et moi, je suis plus certaine que jamais que c'est bien le cas.

D'un geste agacé, il referma son carnet à dessin et se leva.

— Je veux bien y réfléchir encore un jour ou deux.

— J'espère que vous ne renoncerez pas aussi facilement, dit simplement Merry.

Et tandis qu'elle l'observait d'un regard perçant, il eut l'impression qu'elle faisait référence à autre chose qu'à la chapelle.

— Pardon ?

— Soyez patient. Vous pourriez être surpris par la tournure des événements, dit-elle d'un ton mystérieux.

Puis elle changea brusquement de sujet.

— Tiens, le soleil est en train de se coucher.

Elle s'avança jusqu'au bord de la falaise.

— Quelle jolie vue sur la plage !

Rick la rejoignit et regarda le soleil descendre vers l'horizon en zébrant le ciel de longues traînées pourpres, orange et jaunes.

Avant de s'éteindre, un dernier rayon d'or illumina un rocher dans la baie.

— C'est curieux, murmura-t-il, davantage pour lui-même que pour Merry. Je n'avais jamais remarqué ce rocher avant. Il ressemble étrangement à un ours.

— N'est-ce pas ?

Elle avait l'air subitement enchantée. Rick n'en comprenait pas la raison, mais il ne s'en étonna pas. Cette femme était complètement farfelue, et il n'était pas loin de croire que son âge avancé lui faisait perdre la raison.

— Vous savez que vous me faites vous-même penser à un ours, mon cher Rick ?

— Tiens donc ! Je croyais que j'étais un romantique qui s'ignore, rétorqua-t-il.

A son grand étonnement, il réalisa qu'il était en train de plaisanter. Il y avait si longtemps que cela ne lui était pas arrivé !

— Bah, qui sait ? répondit Merry. Les ours sont peut-être de grands romantiques, derrière leur apparence bougonne.

Il rit, trouvant soudain plaisir à la compagnie de cette femme étrange.

— Cette comparaison est amusante, remarqua-t-il. Il y a quelques années, un vieil Indien m'a dit que j'avais en moi l'énergie du grizzli.

— Vraiment ? dit-elle, sans paraître le moins du monde surprise.

— Il va faire nuit dans quelques minutes. Je ferais mieux de rassembler mes affaires.

— Oh, regardez ! Quelqu'un se promène sur la plage ! s'exclama Merry, alors qu'il se détournait.

Il fit aussitôt volte-face. Mais la personne qui venait de s'asseoir sur le banc n'était pas Cynthia.

— Oh, c'est ce pauvre jeune homme, constata Merry d'un ton faussement désinvolte. Le baron Gunterburger.

« Ne mords pas à l'hameçon, s'ordonna Rick. Elle veut sûrement te raconter le dernier ragot en date. »

En effet, il n'était pas d'humeur à plaindre cet arrogant personnage. Il lui suffisait de voir avec quelle assurance il posait le bras sur le dossier du banc, afin de contempler la mer comme si elle lui appartenait, pour le prendre en grippe.

S'était-il un jour montré aussi sûr de lui, pour la simple raison qu'il possédait un beau visage, un corps athlétique et de l'argent ? Peut-être. En tout cas, il n'aimait pas du tout cet homme.

— Pauvre n'est peut-être pas le terme qui convient, non ? remarqua-t-il d'un ton ironique.

— Détrompez-vous. Ce cher Wilhelm a l'habitude d'obtenir tout ce qu'il veut, en particulier avec les femmes…

Encore une similitude avec celui qu'il était autrefois, pensa Rick avec amertume.

— Et ?

— Et il semble avoir des vues sur une jeune personne qui ne s'intéresse pas du tout à lui. A moins qu'elle ait changé d'avis et qu'il lui ait fixé un rendez-vous galant sur la plage. J'adore les histoires d'amour. Pas vous ?

— Non, aboya-t-il.

Comment cela, un rendez-vous ? Sur cette plage ? Mais c'était sa plage ! Et celle de Cynthia.

— D'ailleurs, c'est amusant. Il me semble que vous connaissez la jeune personne en question.

Rick dévisagea Merry avec inquiétude. Non, cela ne pouvait pas être ce qu'il croyait.

— N'avez-vous pas dit que vous étiez ami avec Cynthia Forsythe, autrefois ?

Rick retint un juron. Il n'était pas question que *sa* Cynthia aille retrouver cet homme sur *leur* plage.

— Ne vous inquiétez pas, dit Merry en lui touchant le bras. Elle ne s'intéresse pas du tout à lui. Ils ont pris le petit déjeuner ensemble, ce matin. Et il ne s'est rien passé. Pas la moindre petite étincelle. De son côté, du moins.

Comment pouvait-elle savoir tout cela ? Et d'ailleurs, qu'est-ce qui lui faisait penser que cette histoire l'intéressait ?

— Je n'étais pas inquiet, rétorqua-t-il sèchement, tout en faisant de son mieux pour cacher son soulagement.

— En revanche, sa mère a l'air de beaucoup apprécier notre jeune baron, remarqua innocemment Merry.

— Sa mère est là ?

— Oui. Cynthia travaille pour elle comme

assistante de recherches. Elles ont pris leurs vacances ensemble.

Cynthia, un rat de bibliothèque ? Il se souvint des tableaux qu'elle peignait, et de son rêve d'être un jour exposée. Pourquoi y avait-elle renoncé ? Elle avait pourtant du talent. Et elle partait en vacances avec sa mère ? Cette vieille sorcière exigeante et acariâtre ? Quelle vie avait donc cette pauvre fille ?

— Mais Cynthia ne l'aime pas. Le baron, je veux dire, continua Merry.

Elle secoua la tête d'un air grave.

Rick préférait cela. D'un autre côté, il ne pouvait s'empêcher de penser que le baron était le genre d'homme qu'il fallait à Cynthia. Du temps du lycée, elle lui avait fait clairement comprendre qu'il n'était pas assez bien pour elle. Evidemment, elle ne l'avait pas dit aussi brutalement. Chez les Forsythe, on avait du savoir-vivre.

Il avait passé une bonne partie de sa vie à prouver qu'elle se trompait. Lorsque son travail avait été reconnu, les portes de la bonne société s'étaient ouvertes à lui. Il était sorti avec des femmes du monde et, à chaque nouvelle conquête, il avait eu un peu plus l'impression de narguer celle qui n'avait pas voulu de lui. Ah, comme il avait rêvé de la revoir un jour et de lui montrer ce qu'elle avait raté !

Mais pour le moment, il devait agir. Imaginons qu'elle vienne sur la plage dans l'espoir de le revoir et qu'elle rencontre le baron. Imaginons qu'elle le prenne pour l'homme qui l'avait embrassée. Ce Gutemberger, ou quel que soit son nom, lui faisait tout à fait l'effet du genre d'arrogant personnage capable de croire qu'elle venait pour ses beaux yeux.

— Il y a d'autres coins charmants pour se retrouver en cachette, remarqua soudain Merry d'un ton dégagé.

— Ah bon ? dit-il, en s'efforçant de ne pas paraître trop intéressé.

— Je pourrais demander à la réceptionniste de préparer un panier avec du champagne, des chocolats, des framboises et des bougies.

— Cela me paraît bien compliqué.

— Pas du tout. Elle est payée pour ça. Mais rassurez-vous, je l'apporterai moi-même pour préserver votre intimité.

A cet instant, il lui semblait n'en avoir aucune. Cette drôle de vieille dame paraissait tout connaître de lui et de ce qu'il ressentait.

Il aurait pu lui dire qu'elle divaguait, qu'il ne connaissait personne avec qui partager ce panier, et retourner à sa petite vie tranquille. Mais qu'avait-elle de si passionnant, cette vie ? Que cherchait-il à protéger ?

— D'accord, dit-il. Apportez-moi ce panier. Vous me direz plus tard ce que je vous dois.

— Mais vous n'y pensez pas, mon cher Rick ! C'est la maison qui vous l'offre.

Merry regarda Rick s'éloigner avec un sourire de satisfaction. Avec le temps, elle devenait vraiment douée dans l'art de faire se rencontrer les gens. Dommage que cela s'arrête !

Vraiment, c'était incroyable ce qu'un peu de magie pouvait faire. Encore que, la plupart du temps, un peu d'intuition et une bonne connaissance de la nature humaine suffisaient. Finalement, elle aurait très bien pu ne pas faire apparaître ce rocher en forme d'ours. Un rocher que seules trois personnes pouvaient voir : Cynthia, Rick, et elle-même.

Ce bon vieux monde était décidément bien agréable, décida-t-elle tout à coup. Puis elle sourit. L'ancienne Merry n'aurait jamais dit cela. Elle avait beaucoup changé depuis qu'elle vivait dans la peau d'une vieille dame. Elle était plus attentive aux autres, plus tolérante… Et incontestablement beaucoup moins snob. Mais sa chère marraine n'avait pas besoin de le savoir. D'ailleurs, en parlant d'elle, il était temps de la faire travailler un peu. Puisque Lissa avait voulu jouer les réceptionnistes pour mieux la surveiller, elle se faisait un malin plaisir de lui donner des ordres et de la houspiller. Mais, en l'occurrence, préparer ce panier ne serait pas une corvée pour Lissa. Comme toutes les fées, sa marraine était une incurable romantique. Et qui sait, elle pourrait peut-être y ajouter un grain de magie personnel !

Cynthia vérifia l'heure. Cinq minutes seulement s'étaient écoulées depuis la dernière fois qu'elle avait regardé la pendule. Il était beaucoup trop tôt pour aller à la plage.

Serait-il là ? Et si oui, que devrait-elle en déduire ?

Elle se mit à faire les cent pas dans le salon, et finit par attraper *Le baiser du désert*, dont elle lut quelques pages avant de le reposer en grommelant. Apparemment, une femme de chambre bien intentionnée l'avait sorti de la corbeille à papier. Le roman étant neuf, elle avait dû croire qu'il était tombé là par accident et l'avait posé sur le bureau.

De nouveau, elle regarda l'heure. Encore quatre heures à attendre avant d'aller à la plage !

Ce n'était décidément pas possible. Cette attente allait la rendre folle. Et si elle allait danser ? Sa mère serait ravie. Wilhelm également…

Elle se dirigea vers sa chambre et s'arrêta net. Les vêtements qu'elle avait achetés à la boutique de l'hôtel étaient étalés sur le lit. Elle rougit et jeta un coup d'œil inquiet autour d'elle, comme un enfant craignant de se faire surprendre la main dans le placard à confitures. Elle était pourtant certaine de les avoir enfouis au fond de la penderie, là où elle était sûre que sa mère ne risquait pas de les voir. Et où elle non plus ne risquait pas de les voir.

Qu'est-ce qu'il lui avait pris d'acheter ce genre de tenues ?

Tout cela, c'était la faute de Paris Hammond. Elle avait rencontré la jeune femme dans l'une des boutiques de prêt-à-porter du complexe hôtelier. Récemment fiancée, Paris débordait de joie de vivre, irradiait de bonheur, et ne pensait qu'à faire partager son enthousiasme à tout le monde.

— Vous êtes en voyage de noces ? lui avait-elle demandé, en la voyant caresser rêveusement un déshabillé de soie et dentelles.

Puis, avec un petit sourire complice, elle avait ajouté :

— Les hommes ne peuvent résister au rouge.

N'ayant aucune idée de ce qu'aimaient les hommes, Cynthia avait répondu par un sourire gêné, que Paris avait aussitôt pris pour un encouragement.

— Si votre mari aime le rouge, il faut que je vous montre un maillot de bain que je viens juste de voir. Je suis sûre que c'est votre taille.

A quoi bon la détromper ? s'était-elle dit. C'était tellement plus amusant de jouer le jeu.

Et voilà comment elle se retrouvait avec un déshabillé et un maillot de bain d'un rouge flamboyant. C'était un maillot une pièce. Mais pas sage du tout. Au contraire. Profondément décolleté, aussi bien devant que dans le dos, il était tout sauf pratique. D'ailleurs, elle doutait de pouvoir nager avec. Mais quand elle s'était vue dans le miroir de la cabine d'essayage, elle s'était trouvée complètement différente. Et très sexy. La bibliothécaire timorée avait fait place à une femme prête à toutes les audaces. Par exemple à embrasser passionnément un inconnu sur la plage.

Tout à coup, la perspective de retrouver sa mère et le baron parut à Cynthia aussi séduisante que l'idée de participer au concours du plus gros mangeur de cornichons. Sans réfléchir davantage, elle se déshabilla, enfila le maillot et noua le paréo assorti sur ses hanches. Puis elle enfila ses sandales, ramassa sa serviette et se dirigea vers la porte.

Elle était à mi-chemin de la plage quand elle entendit les gravillons crisser derrière elle. Elle ressentit un picotement le long de sa nuque et perçut une odeur qu'elle reconnut aussitôt. Un mélange de cigare et d'eau de toilette boisée.

— Continuez à marcher, dit une voix basse et sensuelle.

Il se trouvait juste derrière elle. Si elle se retournait…

— Ne vous retournez pas !

— Pourquoi ?

— Parce que je vous le demande.

La voix chuchotait à son oreille. L'intonation était basse, intime, et le souffle tiède de l'inconnu dans ses cheveux la troublait.

Pourquoi ne voulait-il pas qu'elle le voie ? Un homme avec une telle voix et un corps aussi splendide pouvait-il être laid ? Etait-il défiguré ? Elle n'osa pas le lui demander, de peur qu'il ne prenne la fuite et ne revienne jamais.

— Vous craignez toujours que je puisse donner votre signalement à la police ?

— Exact, répondit-il d'un ton badin. Surtout après ce que j'ai prévu pour vous ce soir.

— Ce soir ? répéta-t-elle d'une voix tremblante.

« Garde la tête froide, Cynthia », s'ordonna-t-elle.

D'un autre côté, elle s'était montrée raisonnable toute sa vie. Et qu'y avait-elle gagné ? Une existence ennuyeuse au possible, où sa seule distraction était les mésaventures d'une certaine Jasmine, qui avait la bonne fortune d'être enlevée par un sheik.

— Je vais vous enlever, murmura-t-il à son oreille.

Peut-être, après tout, n'était-ce pas la femme

de chambre qui avait retiré le roman de la corbeille, se dit-elle avec un petit sourire.

— Est-ce vous qui êtes venu dans ma chambre ? l'interrogea-t-elle.

— Dans votre chambre ? demanda-t-il avec une réelle surprise. Qu'y a-t-il dans votre chambre qui pourrait inciter un homme à vous enlever ?

— Si vous croyez que je vais vous le dire !

Tout à coup, il noua un foulard autour de ses yeux.

— Que faites-vous ?

— Je vous l'ai dit. Je vous enlève.

— Je pourrais crier.

— Vous le pourriez, en effet.

— Je pourrais aussi me mettre à courir, continua Cynthia.

— J'en suis certain.

— Je pourrais vous gifler.

— Je suis d'ailleurs étonné que vous ne l'ayez pas encore fait.

— Il faudrait que je sois folle pour vous suivre.

Là, c'était la voix de sa mère qui s'exprimait.

— Vraiment ? Et pourquoi ? Nous ne sommes pas sur une île déserte. Il y a des gens partout, et un seul accès. Je ne pourrais pas vous entraîner très loin contre votre volonté. Qu'y a-t-il de mal à faire preuve d'un peu d'audace ? A se laisser tenter par quelque chose que vous n'avez jamais fait avant ?

— Qui vous dit que c'est le cas ?

— Vous n'avez pas l'air d'une femme très aventureuse.

Cette remarque la laissa sans voix. Alors comme ça, elle avait toujours l'air aussi timorée ? Même dans son nouveau et joli maillot de bain ?

Eh bien, elle allait lui montrer de quoi elle était capable !

Sa mère lui dirait probablement de faire attention. Elle lui dirait de se méfier de cet homme…

Mais sa mère n'était pas là.

Cynthia réalisa soudain qu'elle avait toujours suivi les conseils et les ordres de sa mère, sans jamais se poser la question de ce qu'*elle* souhaitait, ou de ce que son propre instinct lui dictait. Exactement comme la jeune Indienne de la légende.

Et voilà ce qu'il lui était arrivé ! Elle s'était retrouvée mariée à un rocher.

— Eh bien, jolie dame, qu'en dites-vous ?

Pour une fois dans sa vie bien rangée, elle disait oui.

Mais ce ne fut pas ce qu'elle lui répondit. Parce que maintenant qu'elle avait décidé de jouer les femmes fatales, elle devait en adopter le comportement. Bon, d'accord, elle n'avait jamais flirté. Mais il n'était jamais trop tard pour essayer.

— Si j'étais consentante, ce ne serait pas un véritable enlèvement, n'est-ce pas ? demanda-t-elle.

Il rit, et ce son qu'elle entendait pour la première fois la fit frissonner.

Puis sa main chercha la sienne, et son bras s'enroula autour de ses épaules.

— Faites-moi confiance, murmura-t-il.

— On ne peut pas faire confiance à un ravisseur, répliqua-t-elle.

Mais elle se laissa aller contre son corps

puissant, en proie à une exaltation proche de l'ivresse.

Le chemin sur lequel il l'entraînait, elle en était sûre, menait tout droit vers une nouvelle vie.

4.

— Où allons-nous ? demanda Cynthia, bien que cela ne la préoccupe pas vraiment.

Elle était avec lui, et c'était tout ce qui comptait.

— C'est une surprise.

Une surprise pour elle ! Elle se sentait irrépressiblement excitée, comme un enfant à qui on n'avait jamais organisé de fête pour son anniversaire et qui allait enfin en avoir une.

— Et si je n'aime pas les surprises ? répliqua-t-elle pour la forme.

— Vous les aimez, dit-il d'un ton assuré, comme s'il la connaissait et savait sur elle des choses dont elle n'avait pas elle-même conscience.

Cynthia ne chercha même pas à protester. La présence rassurante de cet homme, tandis qu'il la guidait dans les ténèbres, suffisait à annihiler toute volonté chez elle. Le contact de ses mains la faisait fondre. Et pour décrire ce qu'elle ressentait, le mot « érotique » n'était pas exagéré. Bien que son expérience en termes d'érotisme soit des plus limitée ! Pour ne pas dire nulle.

Une vague inquiétude vint soudain faire éclater sa bulle de bonheur.

— Et si quelqu'un nous voyait ? demanda-t-elle avec angoisse.

— Vous vous inquiétez vraiment de ce que les gens pensent ?

Evidemment ! Bien que ce soit moins vrai depuis quelques minutes. Elle était en train de tomber amoureuse de sa voix, si basse et rugueuse qu'elle lui faisait l'effet d'une griffure sur de la soie.

— Si on nous voyait, dit-il, ce dont je doute, on ne verrait qu'un homme amoureux qui s'apprête à faire une surprise à une jolie femme, et on trouverait cela charmant. On pourrait même penser que nous sommes amants. Surtout si je fais cela.

Ses lèvres se posèrent sur son épaule nue, s'y attardèrent, et elle ne put retenir un gémissement.

— J'espère que vous ne vous imaginez pas m'avoir séduite, dit-elle en essayant de contrôler les battements désordonnés de son cœur.

Elle avait l'impression de se trouver au bord d'un précipice et d'être sur le point d'y tomber. En réalité, elle savait bien qu'elle était plus que séduite. Elle était en train de succomber tout entière à son charme étrange, de se perdre, et il fallait qu'elle se ressaisisse.

— Et vous n'êtes pas amoureux, conclut-elle. Vous ne me connaissez même pas.

Il soupira.

— Je crois que j'aurais dû placer le foulard sur votre bouche plutôt que sur vos yeux. Taisez-vous un peu et profitez.

— De quoi voulez-vous que je profite ? Je ne vois rien.

— Parfois, quand la vision s'altère ou disparaît, les autres sens se développent, expliqua-t-il. Essayez de vous concentrer sur ce que vous ressentez maintenant, et que vous n'aviez jamais ressenti avant.

Elle n'avait en effet jamais eu l'occasion de savoir que les lèvres d'un homme sur les épaules d'une femme pouvaient la transformer en pâte à modeler, prête à se laisser façonner selon ses désirs.

Cynthia sentit qu'elle perdait pied encore un peu plus. Le bandeau sur ses yeux la plongeait dans un monde d'opacité, mais elle percevait de nouvelles sensations. La soie du foulard sur sa peau lui faisait l'effet d'une caresse. L'odeur, la respiration si proche de l'inconnu et la chaleur qui émanait de son corps pressé contre le sien la bouleversaient. Sa présence lui donnait une force nouvelle, une assurance qu'elle n'avait jamais ressentie auparavant.

Elle était momentanément aveugle, mais elle avait l'impression de voir pour la première fois. Ce qu'elle discernait soudain, c'était un monde empli de promesses et de magie. Un monde où l'invisible était plus important que le visible.

Elle avait l'impression de ressentir la force de l'esprit de son bel inconnu et de tout connaître de lui. Le voir n'aurait fait que la distraire. Voir quelqu'un, c'était le juger. Le trouver trop petit ou trop grand, trop mince ou trop enveloppé. Et tous ces jugements d'ordre esthétique empêchaient de vivre ce qu'elle vivait en ce moment.

Car ce qu'elle expérimentait, c'était l'espoir. L'espoir que, peut-être, l'amour existait vraiment.

L'amour ? Comme elle y allait ! Comment pourrait-elle être amoureuse d'un être qu'elle ne connaissait pas ? L'amour était un sentiment plus lent à mûrir. Mais comment expliquer cette impression de vertige, ces battements de cœur désordonnés, cette faiblesse générale ? A moins qu'elle ne couve un rhume, il n'y avait pas d'autre explication possible. Elle était amoureuse.

— Ça va ? demanda son chevalier servant, comme s'il percevait son trouble.

Jamais elle ne s'était sentie aussi bien. Cependant, pouvait-elle l'avouer ? Non. Cela en dirait trop sur la pathétique vacuité de sa vie. Alors elle se contenta de prendre davantage appui sur lui, se grisant de sa force. Depuis quand ne s'en était-elle pas remise à quelqu'un ? Pourtant, elle adorait l'indépendance. Elle voulait être une femme libre. Comment pouvait-elle trouver si agréable de renoncer à toute responsabilité ?

— Où m'emmenez-vous ? demanda-t-elle de nouveau.

Mais cette fois, elle ne parlait pas de déplacement physique. Elle voulait savoir quelles régions de son cœur et de son âme il allait lui faire découvrir. Etait-elle seulement prête pour cette grande aventure ?

— Je vous emmène dans un endroit si sombre que vous ne pourrez discerner où finit la mer et où commence la nuit. Un lieu où l'obscurité brouille la démarcation entre le réel et l'irréel.

Cynthia ne put s'empêcher de frissonner. Mais elle n'aurait su dire s'il s'agissait d'une légère appréhension ou si elle savourait à l'avance les délices encore inexplorées qui l'attendaient.

— Et qu'allons-nous y faire ?

Il rit doucement, et ce son fit à la jeune femme l'effet d'une caresse.

— Nager, parler, manger... découvrir la lumière en pleine nuit.

— Je vois que j'ai affaire à un poète !

— Certaines femmes inspirent la poésie.

La surprise la fit trébucher, et elle sentit qu'il la rattrapait avec fermeté.

— Je n'en fais pas partie.

— Qui vous a fait croire cela ?

Sa voix contenait une note de désapprobation, et bien qu'elle ne puisse pas le voir, elle devina ce qui allait se passer.

Il s'arrêta et elle sentit qu'il se plaçait

devant elle. Puis ses mains se posèrent sur ses épaules. Elle savait qu'il étudiait son visage, et elle désespérait de faire de même, de pouvoir enfin déchiffrer dans son regard et à travers ses expressions ses attentes et ses désirs. D'y déceler peut-être les sentiments qu'il éprouvait pour elle. De découvrir tous les secrets de son âme.

Mais avant que le besoin d'ôter le foulard ne devienne trop pressant, il posa les lèvres sur les siennes.

Son baiser fut bref et doux, différent de l'étreinte presque brutale de la veille. Il ne cherchait pas à la dominer. C'était un baiser léger, à peine ébauché. Un baiser de retrouvailles, de bienvenue. Mais à la seconde où leurs bouches se frôlèrent, tout son corps frémit, comme sous une invisible bourrasque. Un gémissement bref lui échappa, et elle réalisa combien elle avait attendu cet instant.

Elle aurait pu le repousser. Elle aurait d'ailleurs sûrement dû le faire. Mais elle était incapable de lui résister. Nouant les bras autour de sa nuque, elle répondit à son baiser avec une ardeur qu'elle ne se connaissait pas, tandis que son corps se fondait contre lui en un élan instinctif.

Blottie dans sa chaleur et son odeur enivrante, elle percevait les reliefs durs et vigoureux de son torse, la fermeté de son ventre et la puissance de ses cuisses, et ce contact brûlant l'émerveillait.

Tandis qu'il explorait sa bouche avec audace et volupté, et la couvrait de caresses fiévreuses, elle se sentit plonger avec délice dans un vertige de sensations qu'elle n'avait jamais soupçonnées. Tout à coup, il lui semblait qu'un bouquet de lumière explosait dans sa tête, si intense et si beau qu'elle ne put retenir ses larmes.

Il avait raison. Parfois, la lumière jaillissait en pleine nuit.

Soudain, il mit fin à leur baiser, mais ne s'écarta pas pour autant. Le souffle court et saccadé, il semblait sur la défensive. Comme un animal aux aguets sentant venir un danger.

— Qu'y a-t-il ?

Elle le sentit s'écarter, passer derrière elle et lui ôter son bandeau. Elle resta quelques instants immobile, surprise par l'obscurité et le silence. Puis elle réalisa qu'il était parti.

Un élan de panique la submergea. Elle se sentait perdue, désorientée. Sans la présence rassurante et protectrice de cet homme, elle éprouvait un sentiment de vulnérabilité insupportable.

Soudain, elle entendit un bruit étouffé. Un rire de femme. Suivi d'une voix masculine. Puis elle vit apparaître une voiturette de golf à la sortie d'un virage.

Elle fit un bond de côté pour l'éviter, et retint une exclamation de surprise en découvrant sa mère, échevelée et riant aux éclats. Jérôme, dépouillé de son maintien compassé, était au volant. La chemise largement ouverte sur son torse hâlé, le visage empourpré et les cheveux en bataille, il conduisait à toute allure en zigzagant et en imitant des bruits de moteur, tel un gamin mimant un grand prix automobile.

Tandis qu'ils passaient à sa hauteur, Cynthia remarqua, non sans une certaine incrédulité mêlée de contrariété, l'état d'abandon de sa mère.

Cet endroit avait-il quelque chose de spécial ? Une sorte de magie amoureuse qui transformait les gens du tout au tout ?

Elle songea à la façon dont elle-même avait perdu tout contrôle et s'interrogea. N'était-ce pas dangereux de se laisser aller ainsi ? Sa mère l'avait mise en garde toute sa vie contre ce genre d'erreurs.

La voiturette s'éloigna, et Cynthia poussait un soupir de soulagement quand elle entendit la voix de sa mère.

— Jérôme, arrêtez-vous ! Je crois que je viens de voir Cynthia.

Avant qu'elle ait eu le temps de disparaître, de la même manière que son mystérieux soupirant, ils faisaient demi-tour et s'arrêtaient à sa hauteur.

— Que fais-tu là ?

La mère et la fille avaient posé la question en même temps.

— Jérôme me fait faire un tour de l'île, dit Emma.

— A toute vitesse et dans l'obscurité, observa Cynthia. Vous avez failli me renverser.

— Je suis navré, dit Jérôme. Mais votre mère me donne une seconde jeunesse.

Emma battit des cils avec coquetterie dans sa direction, avant de gratifier sa fille d'un regard très différent.

— Nous ne pouvions pas nous douter que quelqu'un rôdait dans le parc en pleine nuit. Où allais-tu ?

— Nager.

— Mais la piscine n'est pas dans cette direction.

— Euh… je n'allais pas exactement à la piscine.

— Tu allais à la plage ? Tu avais l'intention de nager dans l'océan ? En pleine nuit ? Mais c'est une vraie folie !

Une telle manifestation d'horreur aurait dû être réservée à des choses plus graves, mais sa mère n'était pas connue pour la sobriété de ses expressions.

— Et pourquoi pas, très chère ? protesta Jérôme. C'est une nuit magnifique. Je regrette de ne pas y avoir pensé moi-même.

Dans ce cas, il y serait allé tout seul, songea Cynthia. Sa mère n'aimait pas nager. C'était mauvais pour son maquillage et sa coiffure.

— Pourquoi pas ? répéta Emma d'un ton indigné. Mais parce que c'est dangereux. Et si un requin l'avait attaquée ? Et je ne parle pas seulement des animaux. Qui sait ce qui aurait pu passer par la tête d'un désaxé en la voyant dans cette tenue ?

— Cette île n'est pas précisément une zone de haute criminalité, lui rappela Jérôme. Et je ne vois pas ce que vous reprochez à sa tenue.

— Monte dans la voiture, Cynthia, maugréa sa mère sans prendre la peine de répondre à l'innocente question de Jérôme.

Mais Cynthia savait bien ce que pensait cette dernière. Son nouveau maillot était indécent. Exactement comme ses lectures romanesques.

Dire que, il y avait de cela quelques minutes encore, elle se prenait pour une jeune femme indépendante ! A présent, elle comprenait à quel point elle se trompait. Toute sa vie n'était qu'un triste mensonge, comme si elle avait vécu pour quelqu'un d'autre. Elle n'avait jamais fait de folie. Elle ne s'était jamais laissée aller. Et jusqu'alors, elle pensait que c'était aussi bien ainsi. A présent, elle n'en était plus très sûre.

— Monte, répéta sa mère d'une voix haut perchée qui trahissait sa nervosité.

Cynthia devinait ce qui allait se passer si elle n'obtempérait pas. Or, son mystérieux séducteur était peut-être encore caché quelque part dans les parages, et elle ne voulait pas qu'il assiste à la scène. Elle voulait aussi épargner à ce pauvre Jérôme la vision d'une Emma déchaînée.

Mais il se cachait autre chose derrière sa soudaine obéissance. Ce soir, elle avait découvert une nouvelle facette de sa personnalité, et elle en était effrayée.

Jérôme lui lança un regard compatissant tandis qu'elle prenait place dans la voiturette. Le retour se fit à une vitesse beaucoup plus raisonnable, et dans un silence embarrassé.

Ils la raccompagnèrent à sa chambre, comme s'ils craignaient qu'elle ne s'enfuie. Là, sa mère annonça avec une fureur difficilement contenue :

— Je dis bonsoir à Jérôme et je reviens régler le problème.

Haussant les épaules, Cynthia entra dans sa chambre et claqua la porte. De l'autre côté de la porte communicante lui parvinrent bientôt des éclats de voix, et elle crut comprendre que Jérôme n'était pas très content. Quelques instants plus tard, sa mère s'engouffra dans sa chambre, sans même prendre la peine de frapper.

— Je veux savoir ce qui se passe, exigea-t-elle, les bras croisés sur sa poitrine, tandis qu'un de ses pieds battait nerveusement le sol.

Cynthia releva le menton d'un air de défi.

— Je te l'ai dit. J'allais nager.

— Il faut être complètement folle pour aller

nager toute seule la nuit ! Imagine qu'un homme t'ait vue dans cette tenue !

— Que reproches-tu à ma tenue ?

— Ce n'est pas le genre de maillot qui sied à une jeune fille bien élevée. Je suis très choquée.

Elle poussa un soupir théâtral.

— Hélas, les chiens ne font pas des chats.

Piquée au vif, Cynthia leva brusquement la tête.

— Qu'est-ce que ça veut dire ?

— Parfois, quand je te regarde, je vois les défauts de ton père et cela ne me réjouit pas.

Serrant les poings, Cynthia s'efforça de contenir sa colère.

— Tu sais, maman, ce n'est pas parce qu'il n'était pas du même milieu que toi qu'il n'avait pas ses qualités. A force de le mépriser et de le reprendre sans cesse quand son comportement te faisait honte, tu es passée à côté de toutes ces petites choses qui en faisaient un homme merveilleux : sa spontanéité, sa franchise, son goût de l'aventure… J'espère qu'il a su me transmettre ces qualités. J'espère aussi qu'il n'est pas trop tard pour les exprimer, et que tu ne les as pas complètement étouffées en moi.

— Tu as rencontré un homme, en déduisit sa mère après quelques instants de silence. Je l'ai su à la minute même où je t'ai vue ce matin, avec ce drôle d'air. Et je suppose que c'est un bon à rien. Sinon, pourquoi aurais-tu honte de me le présenter ?

— Maman, répondit lentement Cynthia en pesant bien ses mots, je commence à réaliser que j'ai fait une erreur en acceptant de travailler pour toi. Savais-tu que je rêvais de devenir peintre ?

— Peintre ? Pour mourir de faim dans une mansarde sans chauffage ? Comme c'est charmant !

Cynthia ne chercha même pas à argumenter.

— J'ai vingt-six ans, et si j'ai envie de me baigner nue en pleine nuit…

— Nue ?

— Absolument. Et si j'ai envie de voir un homme, je ne te demanderai pas la permission. Il est temps que je vive selon mes propres envies, et non pour te faire plaisir. Et si tu refuses de le comprendre…

— Alors… que feras-tu ? murmura sa mère, les yeux brillants de larmes.

Attristée, Cynthia se souvint de la promesse qu'elle avait faite à son père quelques jours avant sa mort. Elle devait veiller sur sa mère, s'occuper d'elle, et la rendre heureuse. Mais à quel prix ? Celui de son propre bonheur ?

— Cynthia, dit sa mère d'un ton suppliant. Ne te mets pas en colère contre moi. Si je suis parfois un peu dure, c'est parce que je veux ce qu'il y a de mieux pour toi.

— J'ai besoin d'être seule, répondit la jeune femme d'un ton radouci. Tu veux bien me laisser ?

Sa mère porta la main à son front en grimaçant.

« Je sens que je vais avoir une terrible migraine », songea Cynthia avec ironie.

— Je sens que je vais avoir une terrible migraine, dit sa mère d'un ton plaintif.

— Ça tombe vraiment bien, remarqua Cynthia.

— Tu vois, tu réagis comme ton père, gémit sa mère, avant de tourner les talons en soupirant.

Cynthia sentit une immense fatigue l'envahir, tandis qu'elle hésitait sur le comportement à adopter.

Sans doute devrait-elle rattraper sa mère et la consoler. Mais elle en avait assez de se laisser manipuler.

D'un autre côté, elle pourrait retourner à la plage et tenter de trouver son mystérieux soupirant. Mais elle n'en avait plus envie.

Au bout du compte, sa mère avait probablement raison. Elle prenait des risques insensés.

Elle ôta son maillot de bain et jeta un regard vaguement écœuré au déshabillé rouge. Elle se sentait maintenant tellement différente de la femme qui avait acheté ces vêtements ! Ne supportant plus leur vue, elle les enfouit dans un sac qu'elle glissa sous son lit. Puis elle enfila son vieux pyjama avec les petits lapins et se glissa entre les draps.

Le visage enfoui dans l'oreiller, elle éclata en sanglots. Pas tant à cause de la dispute avec sa mère que de l'occasion manquée. Où cet inconnu avait-il prévu de l'emmener ? Il avait dit qu'ils nageraient ensemble dans la nuit. Cette simple idée était si troublante que ses pleurs redoublèrent.

Et s'il s'était imaginé qu'elle avait préféré obéir à sa mère plutôt que de le suivre, et qu'il ne revenait plus jamais ?

Comment le retrouver ? Elle ne connaissait même pas son nom.

Rick suivit de loin la voiturette de golf et repéra dans quelle partie du bâtiment se trouvait la chambre de Cynthia. Puis il retourna à l'endroit où Merry avait organisé leur pique-nique nocturne. D'un coup de pied rageur, il recouvrit de sable les bougies qui entouraient le plaid, l'esprit trop préoccupé pour apprécier le romantisme de la scène, et remit la nourriture dans le panier.

En huit ans, rien n'avait changé. Cynthia était toujours sous la coupe de sa mère. Et c'était d'autant moins pardonnable qu'elle était désormais adulte.

Déçu, il regagna sa chambre et s'assit à son bureau. Cette histoire ne le mènerait nulle part. Il valait mieux pour lui qu'il oublie Cynthia et que sa vie reprenne son cours normal. Pour commencer, il ferait bien de se remettre au travail.

Comme il ouvrait son carnet à dessin, le croquis choisi par Merry en tomba. Il le déplia et l'étudia d'un regard critique afin de comprendre ce qui n'allait pas. C'était trop parfait, trop beau. Comme dans un conte de fées.

Soudain, il eut la réponse. Cette chapelle ne montrait que le bon côté des choses. Mais avant de prendre la décision de se marier, il fallait souvent passer par des étapes compliquées, prendre des chemins de traverse, se fourvoyer dans des voies sans issue, avancer à l'aveuglette au cœur de territoires inconnus, et emprunter des chemins escarpés et semés d'embûches…

D'un geste nerveux, il dessina un chemin tortueux menant à un escalier à la pente abrupte, fait de blocs de granit noirs. Chaque marche représenterait les efforts, les défis, les obstacles… tous ces contretemps rencontrés sur le chemin de l'amour.

Une fois le croquis achevé, il le contempla avec stupéfaction. Il agissait comme s'il s'était finalement décidé à construire la chapelle. Pire : il agissait comme s'il savait ce qu'était l'amour.

Le dos rejeté contre le dossier de sa chaise, il croisa les mains derrière la nuque et s'efforça de réfléchir à la suite. C'était bien joli d'avoir dessiné un escalier, mais il n'avait toujours pas la moindre idée concernant la chapelle.

Cependant, quelque chose lui disait qu'il était sur le bon chemin.

Et avec Cynthia ? S'était-il vraiment engagé dans la bonne direction ? Il avait l'habitude de prendre ses décisions rapidement et de ne pas revenir dessus. Pourquoi se mettait-il à douter ? C'était fini. Avant même d'avoir commencé. C'était mieux ainsi, essaya-t-il de se convaincre. Personne n'avait eu le temps de souffrir.

Ne tenant plus en place, il se leva et se mit à arpenter la pièce. Soudain, son regard se posa sur une sculpture à demi achevée, posée sur la table basse. Elle représentait une femme sortant des flots, les bras levés au-dessus de la tête, dans un geste où s'exprimait son appétit de vivre et d'être libre.

Il prit la pièce de bois et la caressa d'un air songeur. Il était presque sûr de l'avoir rangée dans un tiroir avec ses outils. Tout à coup, il eut l'impression qu'une force mystérieuse lui dictait de l'achever, et il se mit frénétiquement au travail.

Une heure avant l'aube, il avait terminé et se dirigeait vers le bâtiment où il avait vu entrer Cynthia. C'était une suite au rez-de-chaussée, probablement identique à la sienne, avec une terrasse en teck cernée par une balustrade. La porte-fenêtre était ouverte, preuve qu'elle ne se sentait pas menacée par son « ravisseur ». Il l'imagina en train de dormir, avec ses cheveux blonds étalés sur l'oreiller, son front moite de l'humidité qui flottait dans l'air et ses joues rougies par le sommeil, et il espéra qu'elle rêvait de ses baisers.

Sans bruit, il enjamba la balustrade et se glissa dans la chambre. La nuit se retirait doucement, laissant place à la lumière encore fragile d'un nouveau jour, et il devait faire vite s'il ne voulait pas se faire surprendre.

Résistant à l'envie de la contempler, il déposa la statuette sur sa table de chevet et disparut comme il était venu.

5.

La première chose que vit Cynthia en ouvrant les yeux fut la statuette. Elle sourit et s'étira, en proie à un bien-être absolu. Sa nuit avait été merveilleusement calme et reposante, comme si ce cadeau avait veillé sur elle.

Elle s'assit dans son lit et prit l'objet entre ses mains. La forme était simple, épurée, mais elle suggérait l'essentiel : une femme libre et épanouie.

Que signifiait cette statuette ? Etait-ce elle que le sculpteur avait voulu représenter ? En tout cas, elle était sûre que l'homme de la plage en était l'auteur. Elle pouvait sentir son énergie irradier des courbes polies du bois.

Un coup fut soudain frappé à sa porte, ferme et masculin.

Elle retint son souffle. Elle ne connaissait

qu'un homme capable de s'annoncer avec autant d'assurance.

Enfilant à la hâte son peignoir, elle courut vers la porte, prête à l'attirer à l'intérieur, à le regarder et à toucher son visage avant de le couvrir de baisers.

— Jérôme ! dit-elle d'un ton dépité après avoir ouvert la porte à la volée.

Emportée par son élan, elle avait failli lui tomber dans les bras.

— Bonjour, Cynthia. Je suis désolé. Vous attendiez quelqu'un d'autre ?

Oui ! eut-elle envie de hurler. Au lieu de quoi, elle se composa une façade de désinvolture.

— Bien sûr que non. Qui voulez-vous que j'attende ?

Jérôme la considéra d'un air sceptique, et elle réalisa qu'elle devait avoir une drôle d'apparence. Les joues empourprées, les yeux étincelants, à peine vêtue, elle présentait toutes les caractéristiques d'une femme attendant son amant. Embarrassée, elle croisa plus étroitement son peignoir sur sa poitrine et resserra sa ceinture.

— Je devais prendre le petit déjeuner avec votre mère mais elle ne répond pas, annonça

Jérôme. J'ai pensé que vous pourriez me dire si elle est déjà sortie ou si elle ne se sent pas bien.

— La migraine, soupira Cynthia.

Jérôme leva un sourcil.

— La migraine ? Est-ce que cela lui arrive chaque fois qu'elle cherche à manipuler son entourage ?

Cynthia le dévisagea avec étonnement. En à peine quelques rendez-vous, il avait parfaitement cerné le caractère de sa mère. Malgré elle, elle hocha la tête avec une mimique de complicité.

— Puis-je entrer un moment ? demanda-t-il ensuite. J'aimerais vous parler.

Cynthia l'aimait bien. Sa mère avait d'habitude tendance à choisir des hommes qu'elle pouvait dominer, mais Jérôme était différent. Fort, sûr de lui, il n'était pas le genre à se laisser marcher sur les pieds.

— Venez prendre un café, proposa-t-elle, en s'effaçant pour le laisser passer.

Le soleil entrait à flots, annonçant une nouvelle journée de beau temps. Les branches des palmiers ondulaient doucement sous la brise, et les massifs de fleurs aux couleurs chatoyantes s'épanouissaient avec une exubérance toute tropicale. Malgré son dépit que Jérôme ne soit pas la personne qu'elle espérait voir, Cynthia se sentait tout à coup pleine d'entrain, et savourait à l'avance la magnifique journée qui s'annonçait.

Soudain, elle se demanda à quand remontait la dernière fois où elle s'était montrée aussi impatiente que la journée commence.

— Je vais vous poser une question personnelle, Cynthia, lança Jérôme. Et j'espère que vous ne me trouverez pas trop indiscret.

— Je ne crois pas que l'indiscrétion fasse partie de votre personnalité, répondit-elle avec un sourire.

— Votre opinion à mon égard pourrait changer.

Il hésita et but une gorgée de café avant de poursuivre.

— Pourquoi laissez-vous votre mère se comporter comme elle le fait avec vous ? demanda-t-il sans préambule.

— Que voulez-vous dire ?

Tout à coup, le ravissement que Cynthia avait éprouvé devant ces simples petits plaisirs que lui offraient le soleil et l'arôme délicieux du café s'évapora.

— Elle est très autoritaire et a des idées bien arrêtées sur tout. Elle vous contrôle totalement.

Pour se donner une contenance, Cynthia tourna sa cuillère dans sa tasse. Evoquer sa relation avec sa mère lui faisait l'effet d'une noyade. Elle avait l'impression qu'un poids fixé à sa cheville la tirait vers le bas, vers un lieu profond et obscur d'où toute évasion serait impossible. Puis elle croisa le regard de Jérôme, et elle y lut une immense compréhension qui lui donna soudain l'envie de se confier.

Elle n'avait jamais parlé à personne de la promesse faite à son père, et elle s'en libéra tout à coup, avec un immense sentiment de délivrance.

— Donc, si j'ai bien compris, récapitula Jérôme quand elle eut terminé, juste avant de mourir, votre père vous a extorqué la promesse de tout faire pour rendre votre mère heureuse ?

Elle hocha la tête, et découvrit avec surprise qu'elle pleurait quand une larme tomba dans son café.

— Quel âge aviez-vous ? demanda gentiment Jérôme.

— Seize ans.

Il lui sourit avec une telle compassion qu'elle éprouva soudain le désir irrationnel qu'il remplace son père.

— Cynthia, dit-il en lui prenant les mains entre les siennes, j'ai soixante-huit ans, et l'âge m'a appris une ou deux choses que j'aimerais partager avec vous. D'après ce que je peux en juger, vous aviez, dès le plus jeune âge, un grand désir de perfection. Mais vous devez comprendre que personne n'est responsable du bonheur d'autrui. C'est à chacun d'entre nous de trouver son propre bonheur dans ce monde, et j'oserais même dire que c'est un devoir sacré. Là où il se trouve maintenant, votre père a compris cette évidence, et s'il le pouvait, il vous délivrerait de votre promesse. Quand il vous a demandé cela, il était malade, et les médicaments altéraient sans doute son jugement. S'il avait vraiment réalisé ce qu'il vous demandait, il s'en serait abstenu. J'en suis persuadé.

Cynthia laissait couler ses larmes sans retenue, soulagée comme un prisonnier à qui on aurait soudain offert les clés de la liberté. Il ne lui restait plus qu'à trouver la bonne porte, la bonne serrure... Mais elle avait déjà une petite idée d'où elles se trouvaient.

— J'ai tout de suite senti en vous un esprit aventureux, continua Jérôme. Cette façade de passivité que vous affichez n'est qu'un leurre. Vous avez une âme d'artiste, je le sais, et vous devez exploiter vos talents.

Cynthia sécha ses larmes dans un mouchoir, et adressa à Jérôme un sourire encore timide. Les mots lui manquaient pour exprimer sa gratitude, elle se contenta donc du plus simple.

— Merci.

— Oh, je vous en prie, ma chère petite. Et maintenant, profitez de votre journée. Faites quelque chose de fou. Soyez jeune !

— Vous me suggérez de jouer les pilotes de course avec une voiturette de golf ? dit-elle pour le taquiner.

— Je crois que vous pouvez faire mieux que ça.

Elle éclata de rire.

— Je le crois aussi.

— Et maintenant, dites-moi une chose : y a-t-il une porte communicante entre votre chambre et celle de votre mère ?

Cynthia la désigna d'un signe de tête.

Jérôme se leva en lui adressant un clin d'œil et se dirigea vers la porte.

Une fois qu'il fut entré dans la chambre d'Emma, Cynthia entendit le cri outragé de sa mère, puis la réponse de Jérôme.

— Ne soyez pas ridicule ! Vous êtes très bien sans maquillage.

Elle ne saisit pas très bien la suite, mais le ton de sa mère était, comme à son habitude, arrogant et cassant.

Elle n'eut en revanche aucun mal à entendre la riposte de Jérôme.

— Votre migraine, c'est de la comédie.

Cynthia se mordit la lèvre pour ne pas éclater de rire et colla sans vergogne son oreille à la porte.

— Vous ne pouvez pas décider d'avoir la migraine chaque fois que la situation ne tourne pas à votre avantage. Votre pauvre fille a consacré ses plus belles années à s'occuper de vous et à tout faire pour vous satisfaire. Vous devriez avoir honte de votre comportement, très chère. Maintenant, levez-vous et allez prendre une douche ou bien je vous y emmène de force.

Cynthia écarquilla les yeux. Habituellement,

personne ne donnait d'ordre à sa mère. Elle retint son souffle, guettant des bruits d'objets brisés et des hurlements. Mais il ne se passa rien.

Après quelques instants de silence, un ruissellement d'eau étouffé lui parvint. Elle n'en revenait pas. Sa mère avait donc enfin écouté quelqu'un ?

Revenant vers le salon, elle songea à ce que Jérôme lui avait dit. Ainsi, elle aurait l'esprit aventureux ? Une âme d'artiste ? Cela semblait tellement improbable ! D'un autre côté, cette passivité devenait insupportable. Combien de temps encore allait-elle laisser les autres diriger son existence ?

Elle traversait la vie comme une somnambule et se laissait porter par le courant, sans jamais faire de remous.

Désormais, cela allait changer !

D'un pas décidé, elle se dirigea vers sa garde-robe et la passa en revue d'un œil critique. Bermudas impeccablement repassés, chemisiers en coton de couleurs pastel, jupes plissées arrivant aux genoux... Rien ne convenait.

Y avait-il quelque chose dans ce placard qui évoquait une artiste ? Assurément pas. C'était d'un classicisme à mourir d'ennui. D'ailleurs, tout avait été choisi par sa mère.

Mais c'en était fini du conservatisme, de la neutralité et de la raideur. Que ce soit dans sa vie ou dans sa garde-robe, elle avait désormais envie d'anticonformisme, de couleur et d'aisance.

Une demi-heure plus tard, elle glissait sa carte de crédit dans la poche de son bermuda au pli trop bien marqué en se jurant qu'elle le mettait pour la dernière fois, et se dirigeait vers la merveilleuse petite galerie marchande de l'hôtel.

Merry Montrose frappa à la porte de la suite en ignorant le panonceau « ne pas déranger ». Elle entendit un grommellement rageur et faillit tourner les talons. Ce n'était peut-être pas une bonne idée, finalement, de déranger l'ours dans sa tanière.

Mais sa curiosité fut la plus forte : elle frappa de nouveau.

Rick ouvrit brutalement la porte, et elle ne put s'empêcher de faire un pas en arrière. En sa présence, elle se sentait toujours un peu intimidée, bien que ce ne soit pas dans sa nature.

— Quoi ? aboya-t-il, sans même un minimum de politesse.

— Je… euh… j'avais à faire de ce côté-ci de la résidence, et j'en ai profité pour vous apporter le contrat. J'ai remarqué hier que vous aviez oublié de parapher une page.

Il lui arracha le document des mains avec assez de force pour le déchirer, et fit mine de refermer la porte.

— Attendez ! protesta Merry.

— Quoi encore ? grommela-t-il.

— Je m'interrogeais à propos d'hier soir. Vous savez… Enfin, j'aimerais savoir comment ça s'est passé.

Son expression se durcit un peu plus, et il se détourna pour prendre quelque chose. Un instant plus tard, le panier qu'elle avait fait préparer avec tant de soin atterrissait à ses pieds.

— Il ne s'est rien passé du tout, dit-il avant de claquer la porte.

Le regard affolé de Merry passa du panier à la porte, et de la porte au panier. C'était une catastrophe ! Rien ne se déroulait comme elle l'avait prévu.

Elle ramassa le panier et s'éloigna, sous le choc. Elle avait presque envie de pleurer. Pas seulement pour Cynthia et Rick, mais aussi pour elle-même. L'idée de finir sa vie sous cette apparence la terrifiait.

— Quelque chose ne va pas, mademoiselle Montrose ?

Ramenée à la réalité, Merry sourit machinalement à la ravissante jeune femme qui se tenait devant elle et représentait ce qu'elle ne connaîtrait peut-être plus jamais : la beauté, la jeunesse et l'insouciance.

— Cynthia ?

Elle écarquilla les yeux, croyant à peine ce qu'elle voyait.

Cynthia portait une robe bain de soleil en coton vert d'eau qui épousait au plus près sa silhouette parfaite et mettait ses jambes en valeur. Ses cheveux flottaient librement sur ses épaules, et le soleil y allumait des reflets dorés, tandis que son bronzage, subtilement rehaussé par un maquillage cuivré, faisait ressortir l'éclat de ses yeux, dont la couleur mi-verte mi-or était vraiment étonnante.

— Vous êtes ravissante, ma chère.

— Merci. Je me sens tellement bien.

— Vraiment ?

— Oh, oui ! J'ai beaucoup pensé à votre histoire.

Merry sentit son pouls s'accélérer, tandis qu'un espoir fugitif commençait à renaître en elle.

— Ah bon ?

— Oui. Et vous savez ce qui m'ennuie dans cette légende ?

— Non. Quoi ?

— La fille. Elle est tellement passive ! Elle ne joue quasiment aucun rôle dans cette histoire. Tout le monde la dirige.

— Vous trouvez ?

— C'est évident ! Moi aussi, j'étais comme ça. Mais c'est fini.

— Tant mieux.

— Oh, mais qu'avez-vous là ? s'étonna Cynthia en découvrant le panier. Vous préparez un pique-nique ?

Merry sentit un frisson d'excitation courir le long de sa colonne vertébrale. Tout n'était peut-être pas perdu, finalement.

— Il s'agit plutôt d'une collation romantique.

— Ah ?

— Il y a du champagne, des framboises, des chocolats et des bougies.

— Oh, fit Cynthia, les yeux rivés sur le panier.

— Vous le voulez ?

— Vous me le donneriez ?

— Uniquement si vous avez quelqu'un avec qui le partager.

— Oh oui, j'ai quelqu'un ! Enfin, j'espère. C'est-à-dire que je pense à quelqu'un, mais je ne sais pas comment le contacter.

— Vous croyez à la magie ? lui demanda Merry avec un petit sourire.

— Eh bien… pas vraiment.

— Voulez-vous essayer ?

— Pourquoi pas ?

— Je connais un endroit secret. Je vais vous expliquer où il se trouve, et vous vous y rendrez cette nuit. Là, vous ferez un vœu, en y croyant de toutes vos forces. Et vous serez surprise, vous verrez.

— Espérons, marmonna Cynthia sans vraiment y croire.

Mais lorsqu'elle s'éloigna, ses pas étaient plus légers, et elle serrait avec force les doigts autour de l'anse du panier, telle une petite fille voulant croire que la magie existait.

De retour à son bureau, Merry composa le numéro de Rick. Puis elle attendit qu'il décroche, en tapotant nerveusement du bout des doigts sur son bureau.

Au bout d'un long moment, alors qu'elle s'apprêtait à déclarer forfait, elle entendit un grommellement dans le combiné.

— Vous devriez retourner à la plage ce soir, s'empressa-t-elle de dire avant que l'envie ne lui prenne de raccrocher.

— J'ai prévu autre chose, rugit-il.

Et il mit fin à la communication.

Tandis qu'elle reposait le téléphone, le regard de Merry se posa sur sa main parcheminée que traversait un réseau de veines bleues et saillantes, et elle sentit que son moral flanchait. Elle n'y arriverait jamais !

Tout à coup, elle réalisa que le nouvel homme d'entretien se tenait devant son bureau. Il était absolument splendide et, chaque fois qu'elle le voyait, elle ne pouvait s'empêcher d'éprouver un certain trouble. D'autant qu'elle avait toujours aimé les blonds aux yeux bleus. A vrai dire, c'était tout à fait le genre d'homme avec qui elle aurait pu flirter autrefois. Encore qu'elle n'en était pas tout à fait sûre. Après tout, elle était une princesse et lui, un homme ordinaire.

— Que voulez-vous ? lui demanda-t-elle d'un ton cassant.

— Je voulais simplement vérifier que vous alliez bien. En passant devant votre bureau, j'ai eu l'impression que vous étiez bouleversée.

— Comment voulez-vous ne pas l'être quand cinquante pour cent de la population est composée d'hommes ? rétorqua-t-elle sans réfléchir.

Il afficha une moue ironique qui donna à Merry l'envie de lui jeter quelque chose au visage. Il était beaucoup trop beau ! Et en plus, il le savait. Elle aurait pu jurer que toutes les femmes se jetaient dans ses bras et qu'il en profitait largement.

— Je plaide non coupable, susurra-t-il.

Et il eut l'audace de lui adresser un clin d'œil.

— Hors de ma vue, espèce de jeune freluquet !

Il sortit dans un grand éclat de rire, et Merry se sentit soudain toute ragaillardie. Elle était sûre, à présent, que son plan allait fonctionner.

Et, plus que jamais, elle avait hâte de redevenir jeune.

*
* *

Cela faisait maintenant deux heures que Rick faisait le guet devant la terrasse de Cynthia, et il commençait à perdre patience. A quoi bon s'entêter ? A l'évidence, la jeune femme n'était pas là. Elle était probablement sortie danser avec le baron Gruntmunster.

Il pourrait aller faire un tour du côté du club. Repérer quelqu'un sur une île aussi petite n'était pas très compliqué.

Mais avant, il avait quelque chose à faire. Plongeant la main dans sa poche, il en sortit une nouvelle statuette. Puis il enjamba le balcon et la déposa sur la table de chevet. Il s'agissait cette fois d'une colombe, et il n'était pas très sûr de la signification qu'il fallait y voir. L'espoir, peut-être.

Tandis qu'il rebroussait chemin, il songea qu'il était stupide de placer autant d'émotions dans ses sculptures, alors que la vie ne lui épargnait aucune épreuve.

Soudain, il marqua une halte. Que lui avait dit Merry au téléphone ? Il s'était assoupi, et elle l'avait réveillé en sursaut, le tirant d'un rêve étrange. Il était contrarié, et son esprit n'était pas très clair.

Ah oui ! Elle lui avait dit de retourner à la plage.

Il pressa le pas et arriva au moment où Cynthia achevait de ranger le panier. Elle était magnifique. L'horrible tunique qu'elle portait la dernière fois avait disparu au profit d'un haut de Bikini blanc et d'un long jupon jaune pâle qui irradiaient dans la nuit.

— Bonsoir, dit-il, en prenant soin de rester dans l'ombre.

Elle plissa les yeux, essayant de le localiser.

— Bonsoir, répondit-elle dans un souffle.

— Vous attendiez quelqu'un ?

— Oui, vous.

— Moi ?

— C'est ridicule, je sais. J'ignore tout de vous. Même votre nom.

Il se rapprocha, heureux qu'elle ait déjà éteint les bougies, et lui caressa doucement le visage.

— Venez nager avec moi, proposa-t-il.

— Oui.

Il eut l'impression qu'elle disait oui à tout

autre chose. Car, indéniablement, quelque chose en elle s'était libéré. De même que la femme de sa sculpture surgissant de la mer, et de même que la colombe montant vers le ciel, Cynthia Forsythe disait oui à la vie. Et il avait la chance d'être là pour partager avec elle cette renaissance.

Elle fit glisser le jupon le long de ses jambes fuselées. Tout ce qu'il pouvait voir dans la pénombre, c'était le contour de ses formes délicieuses. La bouche sèche, tous ses sens en éveil, il fit un effort pour se ressaisir. C'était à la fois trop peu et assez pour lui donner l'envie de la renverser sur le sable.

Il lui prit la main, et ils s'élancèrent en courant vers la mer. Tandis qu'ils plongeaient dans les vagues, elle éclata de rire, et il se joignit à elle. Il y avait bien longtemps qu'il n'avait pas ri ainsi. L'océan et la nuit se faisaient ses complices, et il retrouvait une partie de son insouciance passée.

Ils jouèrent comme des enfants dans les vagues, s'éclaboussant, faisant la course, se précipitant l'un contre l'autre en riant. Et chaque fois que, au hasard des mouvements, leurs corps se rencontraient, un frisson le parcourait, rallumant en son cœur la flamme de l'espoir qu'il croyait éteinte. Peut-être tout n'était-il pas fini pour lui, finalement.

Soudain, ils se retrouvèrent enlacés, le souffle court, et l'innocence facétieuse de leurs jeux s'évanouit. Une tension presque palpable envahit l'atmosphère. Tous les sentiments que Rick niait farouchement depuis leur premier baiser resurgirent avec force. Et si la vie lui offrait une deuxième chance ? Bien sûr, il ne serait plus jamais le même, mais un homme nouveau pouvait voir le jour, mûri par les épreuves, plus fort qu'autrefois…

Sans qu'il ait pu deviner son geste, les doigts de Cynthia caressèrent soudain son visage, redessinant sa cicatrice dans le noir. Il fit un bond en arrière, mais il savait déjà qu'il était trop tard. Désormais, elle n'ignorait pas qu'il était défiguré. C'était fini ! Il devait partir.

— Attendez ! cria-t-elle, tandis qu'il s'éloignait à la nage. Je ne connais toujours pas votre nom.

Mais rien ne pouvait plus l'arrêter, et le mélange de rage et de douleur qui le brûlait à l'intérieur redoublait son énergie.

— Alors je vous surnommerai Grizzli, cria-t-elle.

Elle voulait lui donner un nom, comme si elle espérait le revoir. Comme si elle se sentait engagée dans cette étrange relation. Mais le jour où elle verrait à quoi il ressemblait vraiment, elle prendrait la fuite. Exactement comme la femme avec qui il vivait à l'époque de l'accident. Elle était belle, cultivée, talentueuse, et il avait cru à un avenir avec elle. Mais il s'était trompé.

« Ne cherche pas à me retenir, eut-il envie de crier à Cynthia. Et ne t'investis pas trop dans cette histoire ».

Pourtant, il ne pouvait se résoudre à prononcer ces mots. Pas plus qu'il ne se sentait capable de prendre la décision de ne plus jamais la revoir.

Cynthia suivait son bel inconnu des yeux, médusée. Que s'était-il passé ? Qu'avait-elle fait ? Une minute plus tôt, leurs rires résonnaient dans la nuit et, l'instant d'après, il était parti.

Soudain, elle comprit. Elle avait touché son

visage. Et elle avait perçu sous ses doigts le relief d'une cicatrice.

Quelques jours plus tôt, elle ne connaissait rien aux ours, mais elle avait fait une recherche sur Internet et appris des quantités de choses. Par exemple, qu'un ours blessé devenait l'un des animaux les plus dangereux de la planète. Et l'un des plus vulnérables également.

Elle sortit de l'eau et ramassa le panier. Elle s'était aventurée dans une situation beaucoup trop dangereuse pour elle, et le bon sens lui dictait de ne pas continuer plus avant.

Mais elle avait eu peur toute sa vie. Elle avait toujours choisi la voie la plus sûre, celle où elle était certaine qu'il ne pouvait rien lui arriver. N'était-ce pas pour cette raison qu'elle avait préféré travailler pour sa mère, au lieu d'essayer de réaliser ses rêves ? De cette façon, elle n'avait pas eu à craindre l'échec. Elle avait assuré sa sécurité.

Mais dans le même temps, elle s'était perdue.

Cet homme pouvait l'aider à retrouver son chemin, elle en était persuadée.

Lorsqu'elle rentra chez elle et trouva la colombe,

elle sut que son destin se jouait avec lui. Elle ne pouvait plus faire machine arrière.

Elle allait découvrir qui il était. Et pour la première fois de sa vie, elle aurait le courage d'aller jusqu'au bout de ce qu'elle désirait.

Quel qu'en soit le prix à payer.

6.

Et voilà ! songea Rick en claquant la porte derrière lui. Il avait réglé le problème avec Cynthia. Car il était désormais certain qu'elle n'aurait plus jamais envie de le revoir. Il était parti sans un mot d'excuse, sans même la saluer. Cynthia avait toujours été sensible aux bonnes manières, et elle avait de la fierté. Elle serait offusquée par sa conduite. Du moins l'espérait-il.

Machinalement, il prit une pièce de bois. Presque aussitôt, il visualisa la forme d'un ours. Travailler le bois avait toujours eu le pouvoir de le détendre et de lui vider l'esprit, mais il s'agissait cette fois d'une pièce beaucoup plus importante, et il n'avait pas le courage de s'y attaquer.

Il prit alors son carnet à dessin et chercha le croquis de l'escalier. Ce n'était pas mauvais du tout. Il ne s'agissait bien sûr que d'une ébauche, mais l'essentiel y était. Il avait saisi cette mystérieuse notion qui lui échappait jusqu'alors.

Soudain, son crayon se mit à glisser sur la feuille comme s'il était animé d'une volonté propre, et le projet prit forme.

Quand il eut terminé, Rick regarda son croquis avec stupéfaction. Il avait dessiné des murs de verre. Le concept était magnifique, mais probablement irréalisable. Il ne devait pas oublier qu'il se trouvait en Floride, où la température dépassait fréquemment les trente-cinq degrés. Les gens allaient cuire dans une chapelle de verre.

Non, pas forcément. Les grands arbres plantés sur le site apporteraient de l'ombre s'il orientait correctement la chapelle. Et puis, la technologie faisait des prouesses. Il existait des panneaux à double vitrage rempli d'argon qui laissaient entrer la lumière mais filtraient la chaleur.

Ce projet était-il vraiment réalisable ? Bien sûr ! Il suffisait de s'inspirer du mode de construction des serres. Un problème demeurait cependant. Le verre ne tiendrait pas tout seul. Il lui faudrait une armature. Comment la rendre invisible ?

Ce défi le passionnait, et il passa de longues heures à réfléchir, calculer et élaborer des plans. Pour la première fois depuis longtemps, il s'investissait totalement, il s'enflammait pour un projet.

Quand il eut fini, il éprouva le besoin de se détendre et prit son matériel de sculpture. Il écarta la pièce de bois en forme d'ours et en choisit une plus petite qui lui évoquait un dauphin.

L'animal prit forme presque de lui-même, sautant joyeusement hors de l'eau, jouant avec les éléments. Cet esprit ludique, c'était un peu ce qu'il avait redécouvert avec Cynthia, et il eut soudain envie de la remercier en lui offrant la statuette. Il écarta ses rideaux éternellement tirés et réalisa que le jour s'était levé. Etonné, il jeta un coup d'œil à sa montre. Il s'était tellement concentré sur les plans de la chapelle et sur le dauphin qu'il avait perdu la notion du temps. Plus étonnant encore, il avait perdu toute conscience de lui-même. Pendant ces quelques heures, il s'était senti libre. Il n'avait plus mal, il n'avait plus peur, il ne regrettait plus rien.

Il était trop tard maintenant pour se rendre chez Cynthia, mais il déposerait son cadeau cette nuit dans sa chambre. Il n'était pas nécessaire qu'il la voie. C'était simplement une façon de la remercier et de lui dire adieu.

Cynthia ouvrit les yeux et sentit comme un poignard lui transpercer la tête. Un soleil éblouissant inondait sa chambre de lumière, et elle enfouit son visage dans son oreiller en gémissant. Quelle migraine ! Elle avait l'impression d'avoir trop bu. Soudain, elle se remémora ce qui s'était passé la veille. A peine rentrée dans sa chambre, elle avait décidé de mettre à exécution son souhait de vivre dangereusement en buvant toute la bouteille de champagne.

Quelle bêtise ! Et dire qu'elle avait quitté la plage pleine de hardiesse. Mais chaque gorgée d'alcool, au lieu de la réconforter, n'avait fait qu'entamer un peu plus sa détermination. On ne pouvait pas traquer un homme. On ne pouvait pas se jeter à sa tête s'il n'était pas intéressé. A moins de n'avoir aucune fierté. De toute façon, elle ne savait ni comment il s'appelait, ni où le trouver.

Quelque chose se froissa soudain sous ses doigts, et elle s'assit dans son lit en grommelant. Des emballages de chocolat. Elle avait mangé toute la boîte, et les papiers d'aluminium aux couleurs rutilantes s'éparpillaient sur son lit.

Soudain, on frappa à sa porte, et elle poussa un gémissement de contrariété. Elle en avait assez d'être réveillée de cette façon. Tout comme elle en avait assez de s'imaginer que c'était peut-être son bel inconnu, assez de sa vie mortellement ennuyeuse. Et assez de croire que cela pouvait changer, pour finalement se retrouver toujours au même point.

On frappa de nouveau. Etait-ce sa mère, venue proposer une trêve ? Ou bien Jérôme ?

Et si c'était quand même l'homme de la plage ?

— Ça m'est égal, marmonna-t-elle.

Evidemment, c'était faux, et elle ne put s'empêcher d'avancer jusqu'à la porte sur la pointe des pieds, pour jeter un coup d'œil dans le judas.

Merry Montrose !

Cynthia retint son souffle et pria pour qu'elle s'en aille. Mais l'agaçante vieille dame insista, et insista encore.

A contrecœur, Cynthia finit par ouvrir la porte.

— Quoi ? marmonna-t-elle.

— On dirait que c'est contagieux, dit Merry d'un ton guilleret.

— Quoi ?

— Une certaine irritabilité dans l'air. Surtout le matin.

Cynthia avait conscience du regard inquisiteur de Merry. D'ailleurs, elle devinait très bien de quoi elle avait l'air. Elle devait encore avoir une moustache de chocolat au-dessus de la lèvre.

Relevant le menton, elle s'efforça de paraître digne, mais le résultat ne devait pas être très satisfaisant à en juger par le regard inquiet de la vieille dame.

— Vous sentez-vous bien, mon enfant ?

— Pas vraiment, non.

— Et votre soirée romantique ?

Merry balaya la pièce du regard et aperçut le panier renversé près du canapé. Puis elle vit la bouteille de champagne vide couchée sur la table basse.

— Il n'y a pas eu de soirée romantique, répondit Cynthia dans un soupir. Enfin si. Ça commençait bien, et puis je me suis retrouvée toute seule. Je hais cet homme. Quel qu'il soit.

Ce qu'elle détestait, en réalité, c'était ce qu'il

lui faisait ressentir : le doute, puis la confiance. Puis de nouveau le doute. Plus encore, elle lui en voulait de l'obliger à remettre sa vie en question. Une vie parfaitement respectable et, en fin de compte, pas si malheureuse que cela.

— Vous le haïssez ? répéta Merry d'un ton vaguement embarrassé. N'est-ce pas un peu excessif ?

— Ce n'est pas encore assez fort.

— Mais le champagne…

— Je l'ai bu toute seule. Et j'ai mangé tous les chocolats. Et les framboises. Ne le dites pas à ma mère.

Elle s'en voulut aussitôt d'avoir dit cela. C'était tellement enfantin !

— Peu importe, reprit-elle. Je n'ai pas envie de parler de ce qui s'est passé hier. Ni de mes histoires d'amour. Ou de leur absence. Et encore moins de ma mère.

— Oh. Est-ce que tout cela est lié ?

— J'espère que non. Et si vous me disiez maintenant ce qui vous amène ? demanda Cynthia pour changer de sujet.

Merry parut déstabilisée, comme si elle avait oublié ce qui l'avait incitée à venir la déranger de si bonne heure. Puis elle afficha un large sourire.

— Oh, oui. J'étais venue vous apporter une invitation.

Cela venait de lui, pensa aussitôt Cynthia. Et son cœur — ce traître — s'accéléra dangereusement. C'était tout à fait son genre d'utiliser un intermédiaire pour faire monter le suspense.

— Vous vous souvenez de votre rencontre avec Paris Hammond à la boutique de prêt-à-porter ? demanda Merry. Elle m'a dit que vous aviez fait des courses ensemble et que vous vous étiez beaucoup amusées.

Paris ? Bien sûr ! La jeune femme qui avait une théorie sur les effets de la couleur rouge sur les hommes. Mais quel rapport cela avait-il avec l'homme de la plage ?

— Elle a dû vous dire qu'elle allait se marier ? continua la vieille dame.

— Bien sûr, répondit Cynthia, en s'efforçant de ne pas jalouser le bonheur de la jeune femme.

— Brad et elle ont décidé que la cérémonie se déroulerait ici, à l'hôtel. Ah, quel dommage que la nouvelle chapelle ne soit pas encore prête !

— Quelle chapelle ?

— Vous n'en êtes pas encore là ?

— Là, où ? demanda Cynthia sans comprendre ce que lui disait la patronne de l'hôtel.

— Oh, c'est sans importance, répondit Merry, visiblement soucieuse. Je pensais simplement que, si les choses progressaient normalement…

— Je ne vous suis pas. Quelles choses ? Quelle progression ?

— Pardonnez-moi. J'ai de plus en plus tendance à marmonner et à dire n'importe quoi. C'est l'âge, que voulez-vous.

— Oh, fit Cynthia, avec une petite moue qui hésitait entre la gêne et la sympathie. Eh bien, je suis ravie que vous m'ayez parlé de Brad et de Paris, mais j'ai des choses à faire…

— Oh, excusez-moi. J'ai oublié de vous donner l'invitation. Ce sera une cérémonie très simple, avec peu d'invités. Mais il y aura une grande fête, après, dans les jardins. Ce sera assez spectaculaire, je dois dire. Et c'est assez normal, puisque c'est moi qui m'occupe de tout. Bref, Paris a insisté pour que vous soyez présente.

— Mais elle me connaît à peine ! protesta Cynthia, à la fois surprise et flattée.

— Je ne crois pas qu'il soit nécessaire de vous connaître depuis longtemps pour vous apprécier. Vous dégagez une énergie très positive.

— Moi ?

— Evidemment. Et je crois que Paris et vous avez beaucoup en commun.

— Vous croyez ?

— Mais oui ! Vous avez à peu près le même âge, et vous vous apprêtez à découvrir tous les plaisirs de la vie.

— Si seulement c'était vrai, murmura Cynthia.

— Alors ? Puis-je lui dire que vous viendrez ?

— Je ne sais pas. Je n'ai pas envie d'y aller toute seule.

— Invitez quelqu'un.

— C'est plus compliqué que cela.

— C'est bien ce que je craignais, murmura Merry. Aucun progrès.

Tandis qu'elle réfléchissait, son regard se posa sur les statuettes que Cynthia avait posées sur la table basse.

— Oh, mais c'est absolument ravissant ! s'écria-t-elle en passant devant la jeune femme sans avoir été invitée à entrer. J'ai toujours eu envie d'ouvrir une galerie qui exposerait ce genre de travail. Malheureusement, je suis tellement débordée que je n'ai jamais eu le temps de concrétiser ce projet.

Merry voulait ouvrir une galerie ? Dans cet endroit fabuleux ? N'était-ce pas exactement l'emploi dont Cynthia avait toujours rêvé ?

Hier soir, tout lui semblait possible, et elle aurait probablement dit à Merry : « Ne cherchez pas plus loin, je suis celle qu'il vous faut. » Mais aujourd'hui… eh bien, aujourd'hui, c'était bien différent. Sa petite vie monotone lui semblait plus rassurante que ce grand saut dans l'inconnu. Elle ne s'amusait peut-être pas beaucoup, mais, au moins, elle était à l'abri des déceptions.

— Fascinant, dit Merry en caressant le bois.

— Elles sont belles, n'est-ce pas ?

— Où les avez-vous trouvées ?

Cynthia hésita.

— Quelqu'un me les a apportées. Pendant la nuit.

— Vraiment ? Comme dans la légende ?

— Eh bien, non. Pas tout à fait de la même façon.

Elle rougit malgré elle.

— Il n’a pas… enfin, vous comprenez.

— Non, excusez-moi.

— Je veux dire que je ne me suis pas donnée à lui, ou quoi que ce soit.

— Oh, je vois.

Merry affichait un sourire satisfait qui irrita Cynthia.

— Je ne sais même pas si c’est un homme, de toute façon, riposta-t-elle, sur la défensive.

— Il ne peut s’agir que d’un homme.

— Si c’est le cas, j’aimerais savoir qui il est.

— Vraiment ?

— Oui.

— Eh bien, vous n’avez qu’à le guetter. Vous ne croyez quand même pas que ces statuettes apparaissent dans votre chambre par magie ?

— C’est vous qui m’avez encouragée à croire à la magie.

— Je sais, mais il y a des limites. Nous ne sommes pas dans un épisode de *Ma sorcière bien-aimée*. Les gens ne peuvent pas déplacer des objets en remuant le bout du nez, remarqua Merry d’un ton railleur.

Elle eut un petit sourire machiavélique et ajouta entre ses dents :

— En principe.

— Pardon, que disiez-vous ? demanda Cynthia.

— Je disais que si vous voulez découvrir qui est la personne qui vous apporte ces merveilles, il faut lui tendre un piège.

— Bien sûr, répondit Cynthia dans un souffle.

De nouveau, elle sentit l'espoir palpiter dans sa poitrine comme un oiseau cherchant à s'échapper de sa cage. Mais elle s'efforça de rester réaliste.

— Cela sous-entend qu'il reviendra. Qu'il y aura d'autres cadeaux.

— Il reviendra, affirma Merry avec assurance.

— Que dois-je faire si je le surprends ?

— Ma pauvre enfant, vous n'avez donc aucune expérience dans le domaine amoureux ?

Cynthia secoua la tête, l'air dépité.

— Vous n'avez jamais courtisé un homme qui vous plaisait ?

— Non.

— Invitez-le au mariage de Paris.

— Bien. Je le ferai. S'il vient.

— Il viendra. Vous pouvez me croire.

Sur ces mots, Merry se dirigea vers la porte en chantonnant.

Quelques heures plus tard, vêtue de noir et tapie dans les buissons qui encadraient sa terrasse, Cynthia commençait à désespérer. C'était beaucoup moins amusant qu'elle ne l'aurait cru. Elle avait froid, elle était fatiguée, et elle commençait à penser que son inconnu ne viendrait jamais.

Elle était prête à abandonner son poste d'observation quand elle entendit un bruit. Avait-elle rêvé ? Non, il y avait vraiment quelqu'un dans les buissons.

Soudain, elle eut peur. Et si ce n'était pas lui mais un cambrioleur ? Elle reculait vers sa chambre quand elle le vit. Le soulagement l'envahit. Elle ne savait pas comment l'expliquer, mais elle avait la certitude que c'était lui. Peut-être à cause de son parfum qui flottait dans la nuit. Ou de la force qui émanait de sa silhouette, et de son aisance dans l'obscurité.

Amusée, elle le vit sortir de sa cachette, hésiter sur la terrasse, et pénétrer dans la chambre. Elle attendit qu'il dépose le cadeau sur sa table de chevet, puis elle se glissa rapidement derrière lui.

— Ne vous retournez pas ! ordonna-t-elle. C'est un enlèvement.

Puis elle plongea la main dans la poche de son jean noir tout neuf et en sortit un foulard de soie. Elle s'approcha alors de lui et dût se hisser sur la pointe des pieds pour le nouer devant ses yeux. Ce faisant, elle effleura de nouveau sa cicatrice.

Etait-ce pour cette raison qu'il ne voulait pas qu'elle le voie ? Mais c'était pourtant d'un romantisme absolu. N'en avait-il pas conscience ?

Ne voulant pas le choquer en évoquant sa balafre, elle ne fit aucune remarque et le guida jusqu'à la plage où il l'avait abandonnée la veille. Là, elle posa les mains sur ses épaules pour le faire asseoir sur le sable, puis elle lui ôta le foulard et s'assit à côté de lui. Elle essaya alors de déchiffrer son profil, mais il faisait trop sombre pour qu'elle puisse déterminer s'il était jeune ou vieux, beau ou quelconque.

Curieusement, cela lui était égal.

— Et maintenant, dit-elle, parlez-moi de vous.

— Quoi ? Vous ne me faites aucune remontrance à propos d'hier ? Mon attitude était pourtant très cavalière.

Cynthia éclata de rire.

— Comment en vouloir à un homme qui utilise des expressions aussi désuètes ?

Elle hésita avant de poursuivre :

— Etes-vous un pirate ?

— Non.

— Qui êtes-vous, alors ?

— Que voulez-vous savoir ?

Tout ne lui semblait pas assez. De toute façon, elle ne s'intéressait pas à ce qu'il faisait dans la vie. Elle ne voulait pas savoir s'il avait fait des études supérieures, s'il possédait une maison, ou s'il était membre d'un club de golf huppé.

Ça, c'était le genre de choses qui intéressaient sa mère.

Ce qu'elle voulait connaître, c'était son cœur.

— Quelle est votre constellation préférée ? demanda-t-elle sans réfléchir.

Il rit, surpris par sa question.

— Il n'y a aucune étoile, ce soir, c'est trop couvert. Mais si on pouvait les voir, je regarderai particulièrement Orion. C'est pour moi le symbole de l'intemporel. Les étoiles, tout comme les montagnes ou la mer, existent depuis la nuit des temps, et je me sens humble devant ces merveilles immuables. Et vous ? Quelle constellation préférez-vous ?

— Orion, également.

Un frisson la traversa tandis qu'elle donnait cette réponse. Ils avaient répondu la même chose, et cette constatation l'emplissait de stupéfaction, comme si une relation d'ordre subtil les liait l'un à l'autre.

— Quand j'étais petite, mon père me racontait des histoires fabuleuses à son sujet.

— Et quelle est votre fleur préférée ?

— La tulipe, répondit-elle sans hésiter.

Il éclata de rire.

— Qu'y a-t-il de si amusant ?

— Je ne sais pas. Je m'attendais à quelque chose de plus sophistiqué. L'orchidée, peut-être… Non, je sais ! Vous me faites penser à une rose blanche, belle et innocente à la fois.

— Pourquoi innocente ? demanda-t-elle, vaguement vexée.

La façon dont elle avait répondu à ses baisers lui semblait pourtant des plus audacieuses.

— Je ne sais pas. Je perçois chez vous un certain manque d'expérience.

— Eh bien, vous vous trompez, protesta-t-elle avec fermeté.

— Bien, répondit-il d'un ton ironique qui laissait sous-entendre qu'il n'en croyait rien. Alors, pourquoi les tulipes ?

— A cause de leur floraison précoce. Elles fleurissent presque dans la neige. Et elles sont tellement tenaces et résistantes. Pour moi, elles évoquent l'espoir.

— C'est curieux que vous prononciez ce mot, murmura-t-il, presque pour lui-même.

Puis son ton redevint léger.

— Vous voulez connaître ma fleur préférée ? Vous pouvez rire, si vous voulez.

— Je ne le ferai pas.

— J'adore les pissenlits.

— Non !

— Je sais, c'est bizarre. C'est venu d'une histoire qu'on m'a rapportée un jour.

— Racontez-la-moi.

Elle adorait le son rauque de sa voix. Elle aurait pu l'écouter pendant des heures.

— Un homme originaire de La Barbade devait rencontrer son gendre pour la première fois aux Etats-Unis. Il était arrivé en pleine nuit et, au matin, le gendre se trouva très embarrassé de voir son beau-père en train d'observer la pelouse par la fenêtre. Il n'avait pas eu le temps de passer la tondeuse, et les pissenlits envahissaient le terrain. Au moment où il s'apprêtait à s'excuser, son beau-père se tourna vers lui et lui dit : « C'est magnifique, on dirait un champ d'or. Cela a dû vous prendre un temps fou de planter toutes ces fleurs. »

Cynthia rit de ravissement.

— Depuis, je me suis mis à les aimer. Cela me rappelle que tout est une question de subjectivité. Ce qui est laid pour l'un sera magnifique aux yeux d'un autre.

Au fur et à mesure de la conversation, Cynthia s'aperçut qu'ils avaient lu les mêmes livres, aimé les mêmes films, et qu'ils avaient infiniment de points communs, ce qui la comblait de joie. Elle lui confia qu'elle aurait voulu devenir peintre, et lui parla de son désir de diriger une galerie d'art. Elle évoqua aussi son travail pour sa mère et son insatisfaction grandissante.

Ils parlèrent toute la nuit, dans un climat chargé d'émotion et de complicité. Puis le ciel s'éclaircit imperceptiblement, et elle le sentit se crisper à côté d'elle.

— Restez avec moi pour regarder le soleil se lever, lui demanda-t-elle.

Elle voulait le voir en pleine lumière et le convaincre que son apparence ne comptait pas pour elle.

— Je ne peux pas, répondit-il doucement.

— Pourquoi ?

— Je crois que je suis un peu comme les pissenlits, jolie dame. La plupart des gens me trouvent laid.

— Leur jugement est peut-être faussé.

— Peut-être.

Elle perçut de la tristesse dans sa voix, et eut envers lui un immense élan de compassion. Elle avait l'impression de ressentir elle-même les émotions qu'elle devinait en lui : une souffrance cruelle, lancinante, et l'impression d'être seul au monde.

— Vous ne me faites pas confiance ?

— Pas encore, jolie dame. Fermez les yeux.

Elle obéit, et il déposa sur ses lèvres un baiser si tendre que son cœur s'emplit d'un immense bonheur.

— Dites-moi comment vous vous appelez, demanda-t-elle.

— Grizzli suffira. Et vous ?

— Cynthia.

Elle était déçue de son manque de confiance en elle. Il aurait au moins pu lui dire son prénom. Soudain, un doute affreux la traversa.

— Etes-vous marié ?

— Non.

— Alors pourquoi faites-vous tant de mystères ?

L'inconnu observa un long silence.

— Savez-vous ce qu'il y a de pire pour un homme ? demanda-t-il enfin.

— Non.

— Admettre qu'il a peur.

La peur était un sentiment qu'elle pouvait comprendre. N'avait-elle pas passé toute sa vie à vivre dans la peur ? La peur de l'inconnu, celle de décevoir ceux qu'elle aimait, celle de vivre sa propre vie au lieu de se réfugier sous la coupe de sa mère.

— Bonne nuit, jolie dame.

Ses lèvres effleurèrent encore une fois les siennes, puis il disparut.

— Attendez ! cria Cynthia.

Pendant un moment, elle crut qu'il n'allait pas répondre, puis elle entendit sa voix.

— Quoi ?

— Il va y avoir un mariage sur l'île. Dans deux jours. Voulez-vous m'y accompagner ?

— Je ne peux pas.

— La réception aura lieu le soir, en plein air. Je suis sûre que vous trouverez un endroit où vous dissimuler. Je vous en prie. Vous pouvez me faire confiance. Personne ne vous verra. Personne ne portera de jugement sur vous.

— Dans ce cas, comment pourrais-je refuser ? murmura-t-il, visiblement tourmenté.

— Dites oui.

— Il faut que j'y réfléchisse. Dans deux jours, dites-vous ?

— Oui.

— Revenez demain à la même heure, et je vous donnerai ma réponse.

*
* *

Cynthia regagna l'hôtel dans un état d'esprit mitigé. Il n'était pas exclu qu'elle se rende seule au mariage de Paris et de Brad. Mais au moins, elle avait un rendez-vous le lendemain avec l'homme qui avait ravi son cœur.

Lorsqu'elle trouva le dauphin sur sa table de chevet, l'espoir s'empara de nouveau d'elle, et elle eut le sentiment qu'elle n'était plus seule.

Emue, elle caressa la statuette et comprit très exactement ce qu'elle représentait. C'était le symbole de la nuit où ils avaient nagé ensemble, si libres et si heureux. Fermant les yeux, elle la serra contre son cœur, et il lui sembla que l'inconnu se matérialisait à ses côtés. L'illusion était si forte qu'elle eut l'impression de percevoir son parfum, d'entendre son souffle…

Soudain, la porte communicante s'ouvrit à la volée, et sa mère fit irruption dans la chambre, la ramenant brutalement à la réalité.

— Te voilà enfin ! rugit-elle. Je me faisais un sang d'encre. Qu'est-ce que tu fabriquais, encore ?

« Je tombais amoureuse », songea Cynthia.

— Je me promenais, répondit-elle en détournant le regard.

— Seigneur ! Mais tu as vu l'heure ? Il est 3 heures du matin. Et tu as l'air d'un pickpocket dans cette tenue. D'où viennent ces vêtements ? Rassure-moi, ce n'est pas un jean, que tu portes là ?

Emma avait prononcé ce mot d'un air aussi écœuré que si elle venait d'apercevoir un cafard.

— Maman, je suis fatiguée. Pouvons-nous remettre cette conversation à plus tard ? implora Cynthia.

— Jérôme m'a dit que je devais cesser de me mêler de ta vie. Tu te rends compte qu'il a osé me traiter de « casse-pieds » ? Ce n'est pas vrai, n'est-ce pas ? Je ne suis pas une mère envahissante ?

— Mais non, maman.

— Alors je peux te poser une question ?

— Non.

— Ma petite fille, je t'en prie. C'est très difficile pour moi de rester en retrait.

— Et si tu me parlais plutôt de ce que tu as fait ces derniers jours ? proposa Cynthia.

Posant le dauphin sur une console, elle se

laissa tomber sur le canapé et tapota le coussin à côté d'elle.

Emma ne se fit pas prier et monopolisa la parole pendant un bon quart d'heure, prononçant le nom de Jérôme à chaque phrase.

— Ce soir, nous avons rencontré un jeune couple délicieux. Ils se marient mercredi, et ils ont eu la gentillesse de nous inviter.

Cynthia retint un mouvement d'humeur. Ce n'était pas possible ! Comment allait-elle faire pour échapper à l'œil d'aigle de sa mère et rejoindre l'homme de la plage ?

— Ah bon ? dit-elle d'un ton détaché. Je suppose que tu auras mieux à faire que d'assister à ce mariage.

— Mais pas du tout ! D'ailleurs, il paraît que tu y seras.

— Je ne sais pas encore.

— J'espère que tu en profiteras pour me présenter ton mystérieux soupirant. Car il y a bien un homme dans ta vie, n'est-ce pas ?

Cynthia ne répondit pas.

Une fois de plus, son rêve venait d'être brisé. Elle avait dit à Grizzli qu'il pouvait lui faire confiance, que personne ne le jugerait. Elle espérait qu'ils auraient pu se comporter comme un couple normal. Boire quelques verres, danser, rire, parler… Mais elle entendait déjà les commentaires méprisants de sa mère. Car contrairement à l'Indienne de la légende, sa mère ne lui conseillerait jamais de choisir un homme aux mains calleuses.

Serait-elle assez forte pour braver la tempête qui s'annonçait ? Grizzli lui avait ouvert la voie vers une vie meilleure, plus vraie. Mais elle savait qu'elle avait encore beaucoup de chemin à parcourir.

Et lui ? Etait-il prêt à accepter enfin le regard des autres ?

7.

La transition entre le calme presque irréel de La Luna et la frénésie qui régnait dans le hall des urgences de l'hôpital ne faisait qu'augmenter la sensation de vertige de Cynthia.

— Encore un peu de patience, annonça avec un sourire l'infirmière qui les avait accueillis. Il vient d'y avoir un accident, et nous sommes débordés.

Cynthia retint un mouvement d'humeur. Non qu'elle n'éprouvât aucune sympathie pour les malheureux blessés, mais elle était attendue.

Elle appuya la compresse sur sa blessure, jeta un nouveau regard à la pendule et gémit.

— Ça ne va pas ? s'inquiéta sa mère.

— On ne peut mieux, rétorqua Cynthia avec une pointe de sarcasme.

A cette heure-ci, elle aurait dû se trouver avec Grizzli. Il devait lui donner sa réponse à propos du mariage, et elle savait que cela impliquait tout autre chose que sa simple présence à une cérémonie. Cela indiquerait s'il était prêt ou non à s'engager dans une relation, si le petit frisson de possessivité qu'elle éprouvait en sa présence avait ou non sa raison d'être.

Finalement, ce n'était pas l'événement lui-même qui avait de l'importance. C'est pourquoi elle avait prévu de faire mine de changer d'avis à la dernière minute. Une fois qu'il aurait dit oui, elle lui aurait expliqué que ce n'était pas tellement important, en fin de compte. De toute façon, les hommes détestaient les mariages, n'est-ce pas ? Elle ne voulait absolument pas prendre le risque que sa mère croise Grizzli.

Décidément, c'était vraiment trop bête qu'elle ait ainsi trébuché sur la table basse. A cette heure-ci, elle aurait pu être dans ses bras, en train de l'embrasser.

Cette simple évocation la fit frissonner, ce que ne manqua pas de remarquer sa mère.

— Tu ne vas pas t'évanouir ? demanda-t-elle

d'un ton alarmé. Jérôme, j'ai l'impression qu'elle va s'évanouir.

— Je ne crois pas, répondit celui-ci avec calme.

— Mais non, maman, je ne vais pas m'évanouir. Ce n'est qu'une simple égratignure. D'ailleurs, nous ferions mieux de rentrer.

Comme elle faisait mine de se lever, Jérôme posa fermement la main sur son bras.

— C'est une vilaine plaie. Il vaut mieux la montrer à un médecin.

Cynthia regarda de nouveau la pendule, désespérée. Grizzli devait l'attendre avec impatience. Elle l'imaginait faisant les cent pas sur la plage, tout en guettant les différents chemins d'accès. Peut-être commençait-il à croire qu'elle ne viendrait pas.

Mais qu'est-ce qui lui avait pris de courir de la sorte ?

Alors qu'elle lisait son roman d'amour sur le canapé, le téléphone avait sonné, et elle s'était précipitée pour le saisir.

C'était aussi simple que ça !

Elle n'avait pas vu la table basse qui se trouvait dans son angle mort. Elle avait trébuché, et sa tête avait heurté le coin.

Pendant quelques instants, elle était restée étendue par terre, sonnée. Puis elle avait porté la main à son front et avait senti le sang couler.

Le cri qu'elle avait poussé en tombant avait alerté sa mère, qui avait aussitôt appelé les secours. Quelques minutes plus tard, un hélicoptère l'emmenait sur le continent, aux urgences de l'hôpital de Fort Myers. Durant le transfert, sa mère n'avait cessé de pleurer et Cynthia avait pu éviter les questions gênantes. Mais Emma commençait à reprendre ses esprits, et son naturel curieux refit soudain surface.

— Pourquoi as-tu couru pour répondre au téléphone ? Tu attendais un appel important ?

— Ma chère, intervint Jérôme, laissez cette petite tranquille. Elle n'a plus six ans.

— Sans doute, mais elle agit de façon très étrange depuis quelques jours. Et je ne pense pas que ce soit être une mère abusive que de se faire du souci pour ses enfants.

Sa mère s'accrochait à ce titre de « mère abusive » avec une sorte de fierté vindicative, comme si elle voulait convaincre son entourage qu'elle ne le méritait pas.

— Calmez-vous un peu, ma chère, répliqua Jérôme en lui adressant un regard sévère.

Une fois de plus, Cynthia s'émerveilla de son ascendant sur sa mère. Puis elle consulta de nouveau la pendule et sentit monter une crise de larmes. Si elle ne venait pas, que ferait Grizzli ? Que penserait-il ?

Rick était assis sur la plage déserte. A côté de lui, une rose blanche s'étiolait. Les minutes s'étaient écoulées, emportant avec elles la joie qu'il se faisait de revoir Cynthia.

Elle aurait déjà dû être là depuis deux heures, et la conclusion la plus logique était qu'elle ne viendrait pas. S'ils s'étaient trouvés en ville, il aurait pu entretenir l'espoir par un certain nombre d'excuses : les embouteillages, un accident, un problème familial... Mais rien de tout cela n'était plausible sur l'île.

Non, la seule explication était qu'elle s'était ressaisie. Elle avait compris combien il était ridicule d'entretenir une relation clandestine avec un inconnu.

Il savait qu'il aurait dû s'en aller, mais il

ne pouvait s'y résoudre. De toute façon il n'avait rien de spécial à faire, et il pouvait aussi bien rester sur cette plage jusqu'à l'aube. Là ou ailleurs, quelle importance ?

Longtemps après, il entendit des bruits de pas et bondit sur ses pieds. Ses doigts se crispèrent sur la rose, tandis qu'il essayait de distinguer la silhouette qui avançait vers lui en vacillant. Une épine s'enfonça dans sa chair, et il porta son doigt à ses lèvres, tout en regardant vers le chemin.

Cynthia avançait vers lui, émergeant de l'ombre telle une vision. Mais quelque chose n'était pas normal. Elle titubait. Avait-elle bu ? Cela ne lui ressemblait pas.

— Vous êtes toujours là, dit-elle, et il perçut un sanglot dans sa voix.

— Que s'est-il passé ?

— Cette rose est pour moi ?

Elle la prit et l'observa avec gravité.

— Innocence et beauté, murmura-t-elle.

Puis elle laissa tomber la rose et se jeta dans ses bras en pleurant.

Il la berça un moment contre lui, la laissant se calmer. Puis il la prit par les épaules et la repoussa doucement pour observer son visage.

— Dites-moi ce qui s'est passé.

— Ils voulaient me garder à l'hôpital, gémit-elle. Ils craignaient une commotion cérébrale.

— Vous avez eu un accident ?

Et dire qu'il croyait La Luna en dehors du monde réel et de ses contretemps ! Ici aussi des malheurs pouvaient arriver.

— Juste une chute malencontreuse.

— Et vous êtes venue quand même ?

— Rien n'aurait pu m'empêcher de vous retrouver.

Aussi flatteur que ce fût, il était furieux contre Cynthia d'avoir mis sa santé en danger pour venir retrouver en secret un homme dont elle ne savait rien.

— C'est de la folie ! Vous allez rentrer vous coucher immédiatement.

— Mais tout va bien, je vous assure. Ce n'est qu'une petite coupure au front.

— Ne discutez pas !

Sans réfléchir une seconde au danger que cela représentait pour lui, il la souleva dans ses bras et la ramena à sa chambre.

Combien de fois avait-il imaginé cette scène dans ses rêves ? Il était pourtant loin de penser que cela se passerait ainsi. Au lieu de l'embrasser passionnément et de la renverser sur le lit, il repliait gentiment le couvre-lit et écartait le drap, telle une vieille nounou s'apprêtant à coucher un enfant.

— Allez, hop ! Au lit, dit-il.

— J'ai besoin de mon pyjama, protesta-t-elle d'un ton mutin.

— Ce ne sera pas la peine.

— Comment cela ? demanda-t-elle, d'un ton lourd de sous-entendus.

— Ne me faites pas dire ce que je n'ai pas dit. Pour une fois, vous n'aurez qu'à dormir avec vos vêtements.

— J'ai peut-être envie que vous le voyiez.

— Quoi ? demanda-t-il, sans parvenir à masquer la panique dans sa voix.

— Mon pyjama.

— Non, je vous assure, ce n'est pas une bonne idée. Maintenant, soyez gentille, Cynthia, et couchez-vous.

— J'en ai assez d'être gentille.

— Eh bien, ça tombe mal.

Il essayait de toutes ses forces de se comporter en gentleman, de ne pas profiter de la situation, mais elle ne faisait rien pour l'y aider.

Finalement, il parvint à la raisonner, et elle se glissa dans son lit sans protester.

— Bon, je vais vous laisser, déclara-t-il en remontant le drap sous son menton. Vous avez besoin de quelque chose ? Un verre d'eau ? De l'aspirine ?

— Ne partez pas, dit-elle d'un ton suppliant.

— Je ne peux pas rester.

Sans qu'il ait pu prévoir son geste, elle leva la main et toucha sa cicatrice.

Puis elle lui prit la main et la porta à ses lèvres.

— Ce doitt être difficile d'être à votre place.

Elle était la première personne qui montrait une telle empathie à son égard. La première qui se souciait véritablement de lui. Et il l'avait trahie. Il savait qui elle était, tandis que, de son côté, elle ne se doutait pas qu'elle le connaissait. Ce genre de traîtrise ne constituait pas la meilleure des bases pour une relation.

Devait-il le lui dire ? Ou valait-il mieux qu'il s'en aille et ne revienne jamais ?

— Vous viendrez avec moi au mariage ? demanda-t-elle d'une voix ensommeillée. Je ne voulais pas y aller, mais j'ai changé d'avis. Je voulais vous demander de faire autre chose avec moi à la place, mais je ne sais plus ce que c'était. Et puis j'ai tellement envie de les voir tous les deux en plein bonheur.

Le mot « non » se forma dans l'esprit de Rick. Mais le mot « oui » s'échappa de ses lèvres.

— D'accord, j'y serai.

— Merci, Grizzli.

— Je m'appelle Rick.

— Rick, répéta-t-elle doucement. J'adore ce prénom.

— Vraiment ?

— J'ai connu un garçon qui s'appelait comme ça autrefois.

Il eut envie de lui demander ce qu'elle pensait de ce garçon. Mais ce serait une nouvelle tricherie qu'il aurait du mal à justifier plus tard. Si toutefois il s'expliquait un jour.

— Je dois y aller.

— Non, je vous en prie.

La main de Cynthia se referma sur la sienne pour le retenir et il sentit sa détermination fléchir. Elle s'était cognée, et il n'était pas recommandé de laisser sans surveillance une personne blessée à la tête. Une commotion cérébrale était toujours possible, même plusieurs heures après le choc.

Avec un soupir, il s'étendit sur le lit, en prenant soin d'éviter tout contact. Mais elle roula sur le côté et se blottit contre lui. Doucement, il passa un bras autour d'elle, lui toucha les cheveux et effleura sa joue.

Ce n'était pas bien, il en avait conscience. Mais pourquoi, alors, éprouvait-il une telle sensation de bien-être ? Pour la première fois depuis son accident, il se sentait en paix, parfaitement détendu. Il ferma les yeux pour mieux profiter de l'instant. Ses paupières s'alourdirent, et il se dit que ce n'était pas grave. Il n'y avait aucun risque qu'il s'assoupisse. Cela faisait des mois qu'il ne dormait plus la nuit.

*
* *

Rick se réveilla en entendant grincer une porte. Il s'assit, perplexe. Il lui fallut quelques secondes pour se rappeler où il était.

— Cynthia ? Je viens vérifier si tout va bien.

Emma Forsythe !

Les pas traversèrent le salon, se rapprochant dangereusement. Il se tourna vers Cynthia, profondément endormie, déposa un baiser sur sa joue et se rua vers la terrasse.

Lorsque le jour se leva, il avait dessiné le toit de sa chapelle, un subtil assemblage de panneaux de verre dont la taille et l'orientation permettaient des jeux de lumière colorée qui faisaient penser à des vitraux.

Epuisé, surpris par la beauté de sa création, il se laissa aller contre le dossier de son fauteuil et croisa ses bras derrière sa nuque. Il avait toujours été un bon architecte. Nombre de ses réalisations avaient remporté des prix, et ses confrères l'appréciaient. Chaque fois qu'il terminait une construction, il éprouvait un immense sentiment d'accomplissement. Il y avait en effet quelque chose de vertigineux à créer quelque chose là où il n'y avait rien.

Tout cela l'avait aidé à surmonter son complexe d'infériorité, à se libérer d'un passé misérable. Il était désormais un architecte de talent, et plus le fils d'un mécanicien vivant dans un quartier défavorisé.

Cependant, il ne se serait jamais décrit comme quelqu'un d'inspiré. Il était toujours passé à côté de ce qu'il voulait exprimer, sans vraiment savoir de quoi il s'agissait. Ses réalisations manquaient de quelque chose et, aujourd'hui, il savait de quoi il s'agissait. Cela manquait de cœur. D'âme.

A présent, c'était différent. En achevant le dessin de la chapelle, il avait le sentiment d'avoir franchi une nouvelle étape. Il n'y avait rien de prétentieux dans ce constat. Le génie était un don sur lequel on ne pouvait exercer aucun pouvoir. On le recevait un jour, miraculeusement. Et si l'inspiration lui avait soudain été offerte, c'était parce qu'il avait enfin su ouvrir son cœur.

Contre toute attente, le fils du mécanicien avait mis beaucoup de lui aussi dans ce dessin. Ses rêves et ses espoirs transparaissaient dans chaque ligne. De même que ses blessures.

Et pourtant, un mois plutôt, il aurait ri si on lui avait parlé d'ouvrir son cœur. Depuis toujours, il était réfractaire à tout engagement émotionnel. Comment aurait-il pu croire à l'amour alors que ses parents se disputaient constamment, parfois avec violence ? Cette ambiance l'avait poussé à faire des bêtises. Il s'était découvert une passion pour les motos rapides, le cuir noir et les femmes faciles. Son physique agréable et son sourire insolent lui avaient valu bon nombre de succès, et il avait collectionné les aventures sans états d'âme. Sa vie ressemblait aux paroles d'un vieux tube de rock'n'roll.

Et puis il avait remarqué Cynthia Forsythe. Elle l'agaçait, avec ses airs de sainte-nitouche, et il s'était fait un malin plaisir de se moquer d'elle et de la provoquer. Mais un jour, il avait cessé de plaisanter et l'avait suppliée de lui donner une chance. Il ne lui demandait rien d'autre qu'un tour à moto avec lui. Si après cela elle le détestait toujours, il arrêterait de l'ennuyer.

Elle avait dit oui, et sa vie en avait été

bouleversée. Car même si elle n'avait accepté que par défi, en étant convaincue qu'elle continuerait à le détester, elle avait changé d'avis à son égard. Pendant trois semaines, il avait vécu un rêve. Il avait cru aux miracles. A l'amour. Il avait cru que leurs deux mondes pouvaient se rencontrer et cohabiter.

Et voilà que le même scénario se reproduisait. Le dessin qui avait jailli de sa main était révélateur : il recommençait à espérer.

C'était terriblement déstabilisant. Que devait-il faire ?

Couler ou nager, se répondit-il. Puis il éclata de rire.

Toute sa vie, il avait suivi le chemin le plus sûr. Celui qui lui permettait de garder le contrôle des événements. Comme s'il était possible de prédire l'avenir, de se protéger du hasard.

Comme si on pouvait se mettre à l'abri de l'amour.

Cette dernière pensée le surprit. Etait-il amoureux de Cynthia ?

La réponse se trouvait dans son dessin. Et aussi dans la peur qui lui nouait l'estomac.

Egaré, il prit une profonde inspiration.

N'était-il pas temps de faire preuve d'un peu de courage ? De prendre à bras-le-corps ce qui se présentait, comme il l'avait fait sur le plan professionnel, chaque fois qu'il avait vraiment voulu quelque chose ? Pourquoi refuser indéfiniment d'être heureux ?

8.

Se livrant à un dernier examen devant son miroir, Cynthia eut un sourire de satisfaction en découvrant une autre femme.

Deux semaines plus tôt, elle était encore la petite assistante timorée et mal fagotée d'un écrivain célèbre qui se trouvait être sa propre mère. En dépit de ses vingt-six ans, elle se comportait comme une enfant, et se réjouissait inconsciemment de n'avoir à assumer aucune responsabilité.

Mais la personne qui lui faisait face dans le miroir était une vraie femme. Et au risque de paraître prétentieuse, elle pouvait même ajouter : une très jolie femme.

Bien décidée à faire preuve d'audace, elle avait longuement réfléchi au choix de sa robe, et avait fini par choisir un modèle étonnant, composé d'un haut drapé, sans manche et profondément décolleté, et d'une jupe fluide, faite d'une superposition de voiles dans un camaïeu de verts et de bleus. C'était une tenue à la fois exotique — sans doute l'influence du *Baiser du désert* — et digne d'une princesse de conte de fées.

Mais le changement n'était pas qu'extérieur. Dans son regard, que la tonalité de la robe rendait plus vert que jamais, brillait une flamme nouvelle. Celle d'une personne prête à croquer la vie à pleines dents.

Comment un tel changement avait-il pu se produire en si peu de temps ? En quelques semaines, elle était passée de l'état de marionnette à celui d'un être de chair et de sang.

C'était un miracle.

Et soudain, elle comprit de quoi il s'agissait. Il n'existait dans tout l'univers qu'une seule force capable de transformer profondément une personne.

— Ça alors, murmura-t-elle, encore incrédule. Je suis amoureuse.

Elle essaya de se convaincre que c'était impossible. C'était bien trop rapide. Elle ne connaissait pas assez Rick. Elle venait tout juste d'apprendre son nom.

Elle n'était même pas vraiment sûre de se connaître elle-même. Sa nouvelle personnalité lui donnait l'impression de découvrir une étrangère.

Mais la vérité la heurta de plein fouet. Rick n'était pas un étranger. Son cœur l'avait reconnu dès la première seconde comme celui qu'elle attendait depuis toujours. Il l'avait tirée d'un profond sommeil et, grâce à lui, elle se sentait enfin pleinement vivante.

Elle prit son sac et vérifia une dernière fois son image dans le miroir. Elle s'était maquillée avec soin et avait tenté de discipliner ses mèches rebelles afin de dissimuler davantage le pansement qui barrait son front. Mais le résultat n'était pas probant.

C'était sans importance. Il en aurait fallu beaucoup plus pour ternir sa bonne humeur.

Rick avait dit oui ! Ils allaient se montrer en public. On allait les voir ensemble. Ils se comporteraient normalement, comme un vrai couple.

La réalité serait-elle à la hauteur de ses espérances ?

Elle en était persuadée.

Cela lui avait tout l'air d'une vraie relation, songea-t-elle en serrant les bras autour d'elle.

Puis, telle une gamine revêtant pour la première fois une jolie robe, elle pirouetta sur elle-même et regarda sa jupe virevolter autour de ses jambes.

Avec un soupir de ravissement, elle se dirigea vers la porte, impatiente de le retrouver.

La soirée s'annonçait merveilleuse. Une brise tiède soufflait, déplaçant les effluves des fleurs tropicales et l'odeur iodée de l'océan. Le ciel était piqueté d'étoiles, et, repérant sans peine Orion, Cynthia y vit un heureux présage.

La réception avait été organisée dans une vaste zone réservée aux pique-niques et aux concerts, où elle s'était promenée à plusieurs reprises. Mais ce soir, c'était à peine si elle reconnaissait les lieux.

Installées en deux lignes parallèles, des torches traçaient une grande allée jusqu'à un vaste plancher installé sur la pelouse. Des claustras blancs ornés de fleurs et de guirlandes lumineuses avaient été dressés tout autour pour créer l'illusion d'une pièce isolée du reste du monde. Sur les tables, recouvertes de nappes immaculées et décorées de bouquets de fleurs blanches disposés dans des vases en cristal, des bougies avaient été allumées, et leurs flammes mouvantes ajoutaient au caractère féerique et irréel de l'endroit.

De nombreux invités étaient déjà arrivés, et les gens se pressaient autour des tables, dans une atmosphère festive, emplie d'un brouhaha de voix ponctué de rires et d'exclamations.

Cynthia repéra une table un peu à l'écart, protégée par un arbre centenaire dont la ramure procurait suffisamment d'ombre pour échapper aux regards.

Elle posa son sac sur la table pour la réserver puis alla saluer les mariés.

Paris était éblouissante. Ses cheveux, relevés en chignon souple, étaient piquetés de fleurs. Sa robe de soie ivoire, qui épousait le contour harmonieux sa silhouette fine et gracieuse, et dont le bas flottait sur le sol, était une merveille de simplicité. Mais même dans une tenue moins flatteuse, elle aurait malgré tout attiré tous les regards tant elle irradiait de bonheur.

Brad était pour sa part un homme à la beauté étonnante. Il se dégageait de lui une extraordinaire vitalité. A vrai dire, c'était tout à fait le genre d'homme que Cynthia aurait pu trouver intimidant, et peut-être un peu trop arrogant. Mais le regard empli de tendresse et d'admiration dont il enveloppait sa jeune épouse plaidait en sa faveur.

En dépit du grand nombre de personnes qu'elle avait à saluer, Paris sembla enchantée de la revoir.

— Eh bien, dit-elle avec dans l'œil une lueur de libertinage qui contrastait avec l'innocence de sa robe, la couleur rouge a-t-elle eu l'effet escompté ? J'ai bien l'impression que oui.

Ainsi, la flamme qu'elle avait surprise dans son regard était visible de tous, réalisa Cynthia avec un rien d'effarement.

— C'est une splendide réception, répondit-elle, volontairement évasive. Merci de m'avoir invitée.

Paris la prit affectueusement dans ses bras.

— Je suis tellement contente que vous soyez venue ! Nous avons voulu quelque chose de très simple, sans discours interminable ni plan de table. Nous avons simplement fait dresser un buffet où chacun peut se servir.

Il y avait également une table pour les cadeaux et Cynthia alla y déposer le sien. Un attroupement s'était formé autour d'un cadeau non emballé et elle s'approcha. Son visage s'illumina lorsqu'elle découvrit une sculpture représentant un couple de dauphins. Elle aurait identifié n'importe où le travail de Rick, et elle se demanda s'il était là.

Saurait-elle le reconnaître ? Elle ne l'avait vu que dans l'obscurité, et la perspective de découvrir enfin à quoi il ressemblait la faisait trembler d'excitation.

Elle regarda autour d'elle, mais ne vit personne qui lui ressemblait. Cela ne l'étonnait pas vraiment. A l'image de l'ours, Rick restait invisible jusqu'à ce qu'il décide d'être vu.

Elle se dirigea vers le buffet et discuta avec quelques personnes qu'elle connaissait. Puis elle prépara deux assiettes et regagna sa table. Quelques instants plus tard, elle sentit qu'il s'approchait derrière elle.

— Bonsoir, Rick, murmura-t-elle, heureuse du simple fait de prononcer son nom.

Il se pencha pour déposer un baiser sur son épaule et prit place à côté d'elle.

— Comment vous sentez-vous ?

— Je ne sais pas. Pourriez-vous embrasser

de nouveau mon épaule, que je me rende compte ?

— Je parlais de votre coup sur la tête.

— Oh. Beaucoup mieux. Ai-je dit des bêtises, hier ? Je crois que j'étais sous l'effet des sédatifs, et ma mémoire est un peu floue.

— Vous étiez charmante.

— Est-ce une façon polie de me dire que je me suis comportée comme une idiote ?

— Cela vous ennuierait ?

— Oui.

— Quoi que vous ayez dit, cela ne changera pas l'opinion que j'ai de vous.

Personne ne lui avait jamais dit quelque chose d'aussi gentil. Elle glissa un regard de son côté et découvrit sa cicatrice. Doucement, elle lui caressa le visage et le sentit se crisper.

— Quelle que soit votre apparence, cela ne changera pas l'opinion que j'ai de vous, murmura-t-elle.

Il eut un rire cynique.

— Faites attention à ce que vous dites, Cynthia.

— Je le pense.

— C'est ce que vous croyez.

— Je crois que nous allons avoir notre

première dispute, répliqua-t-elle. Vous n'allez quand même pas décider à ma place de ce que je pense ?

— Ce serait terriblement présomptueux, n'est-ce pas ? dit-il d'un ton radouci. Et je ne veux pas me disputer avec vous. Faisons la paix, d'accord ?

— Très bien. Nous reprendrons cette conversation plus tard.

— Je préférerais que nous n'en reparlions plus.

— Je me doutais que vous diriez cela.

— Et maintenant, qui s'amuse à lire dans les pensées de l'autre ?

Elle rit, et leurs retrouvailles prirent une tournure complice.

Soudain, elle aperçut Jérôme et sa mère, et se rendit compte que celle-ci la cherchait dans la foule. Heureusement, elle ne l'aperçut pas, et Cynthia poussa un soupir de soulagement.

— J'aurais dû me douter qu'elle serait là, marmonna Rick.

Cynthia lui lança un regard étonné.

— Vous connaissez ma mère ?

— Non, bien sûr que non ! s'empressa-t-il de répliquer. Je parlais de Merry Montrose.

— Vous ne l'aimez pas, on dirait ?

La vieille dame venait juste de faire son entrée au bras d'un homme splendide, et considérablement plus jeune qu'elle.

Il y avait une bouteille de champagne sur chaque table et, au lieu de lui répondre, Rick lui en proposa. Cynthia refusa aussitôt et, tandis que la conversation reprenait, elle oublia Merry.

— Pas d'alcool ! Je ne me souviens plus de ce qui s'est passé hier, et je ne voudrais pas que cela se reproduise.

— Ne vous inquiétez pas, il ne s'est rien produit de remarquable.

— Si c'était le cas, je suppose qu'il m'en resterait un souvenir.

— Vous vouliez me montrer votre pyjama.

— Ce n'est pas possible ! Et qu'est-ce que j'ai fait d'autre ?

— Je vous l'ai dit, vous étiez charmante.

— J'ai du mal à vous croire, après l'épisode du pyjama.

— Vous ne vouliez pas que je parte.

Aucune femme n'aurait voulu le laisser partir, mais Cynthia s'abstint de le souligner car elle savait qu'il ne l'aurait pas cru.

— Alors je me suis étendu à côté de vous, continua-t-il.

— Dans mon lit ?

— Oui. Et je vous ai regardée dormir. J'ai caressé votre joue, vos cheveux…

— C'est vrai ? murmura-t-elle.

— Vous étiez adorable.

— Sûrement pas !

— Si, je vous assure.

— Et après ?

— Vous vous êtes mise à ronfler.

— Fort ? demanda-t-elle, médusée.

— Comme un train de marchandises en pleine côte.

— Et vous êtes quand même venu ce soir. Pourquoi ?

— Pour vous.

Une musique douce et romantique s'éleva soudain, et les mariés ouvrirent le bal. Ils se dévoraient des yeux, et ce fut avec beaucoup d'émotion que Cynthia les regarda évoluer, étroitement enlacés, comme isolés du reste du monde par un cercle magique.

— Vous dansez ? demanda Rick, tandis que la première chanson s'arrêtait et que de nombreux couples gagnaient la piste de danse.

— Oui, répondit-elle, sachant qu'elle ne pouvait pas répondre autre chose.

Elle prit la main de Rick et le suivit. Ses bras se resserrèrent autour d'elle et ils commencèrent à se mouvoir au rythme lent de la musique.

Grisée par la chaleur de ce corps pressé contre le sien, par la force de ces bras qui enserraient sa taille, il lui semblait qu'elle avait attendu toute sa vie ce moment de complicité et d'harmonie.

Tout à coup, elle avait l'impression de se trouver à la place de Paris, le cœur plein de joie, la tête pleine de projets.

L'amour qu'elle éprouvait pour Rick atteignait son comble, et elle ne devait qu'à un reste de pudeur et d'éducation de pas couvrir son visage de baisers devant tout le monde.

Soudain, un faisceau lumineux jumelé à la musique balaya la zone où ils se trouvaient. Cynthia releva la tête juste à temps pour apercevoir la cicatrice de Rick.

Conscient de l'examen dont il était l'objet, Rick se raidit. Puis il disparut, la laissant en proie à un terrible sentiment de solitude et d'abandon.

— Je savais qu'il y avait un homme derrière tout ça, s'écria sa mère.

Cynthia pivota sur ses talons. Durant un bref instant, elle avait oublié que sa vie n'était pas aussi simple qu'elle l'aurait voulu.

Les bras croisés, un pied tapant nerveusement le sol, sa mère répéta :

— Il y a un homme.

— Il y en avait un, murmura Cynthia, en essayant de distinguer une silhouette dans la végétation environnante.

— Il est affreux ! s'écria sa mère. Un véritable monstre. Je comprends maintenant pourquoi tu avais honte de lui.

— Honte de lui ? protesta Cynthia, épouvantée.

Rick se trouvait peut-être encore dans les parages, et il pouvait entendre la conversation.

— La seule personne dont j'ai honte, c'est toi, répondit Cynthia, folle de rage. Comment peux-tu dire une chose pareille ? Comment peux-tu juger sur sa seule apparence une personne que tu n'as jamais rencontrée ?

— Tu sais, je commence à en avoir assez que tout le monde me fasse passer pour une mère abusive.

— Je te signale que c'est toi qui n'arrêtes pas de le répéter. Et, après ton comportement de ce soir, c'est un qualificatif que tu mérites tout à fait.

— Je n'aime pas du tout ta robe, Cynthia. Elle est beaucoup trop voyante. Cela donne de toi une très mauvaise image.

— Quel genre d'image ?

— Celle d'une fille facile, répondit sa mère avec cruauté. Une fille prête à tout.

— Tu sais quoi ? Tu es vraiment odieuse, rétorqua Cynthia.

— Ah, Jérôme ! s'écria sa mère, en voyant avec soulagement arriver son soupirant. Elle a un homme dans sa vie, et elle refuse de m'en parler. Pouvez-vous croire une chose pareille ?

— Sans aucun problème, ma chère.

— C'est de votre faute ! C'est vous qui l'avez persuadée qu'elle ne me devait aucun respect.

— Jamais de la vie !

Cynthia comprit que sa mère était prête à riposter et à se lancer dans une argumentation sans fin, et elle préféra s'esquiver. Toute sa vie, elle avait fait de son mieux pour calmer les colères de sa mère, en acceptant de se plier à ses ordres, ou en promettant de ne pas recommencer quelque chose qui lui avait déplu. Mais elle en avait assez de s'effacer, de toujours faire passer l'intérêt de sa mère avant le sien. C'était un peu cher payé pour avoir la paix.

— Excusez-moi, dit-elle.

— Tu n'iras nulle part ! protesta Emma.

Mais elle ne répondit pas et disparut dans les buissons, aussi habilement que Rick l'avait fait quelques minutes plus tôt.

— Tout cela, c'est à cause de vous ! cria sa mère à Jérôme.

— Je vous conseille de ne pas jouer à ce petit jeu-là avec moi, très chère, rétorqua ce dernier.

Quelque chose dans le ton impassible de sa voix poussa Cynthia à s'arrêter et à observer la scène. Cela risquait de devenir très intéressant.

— Cessez de m'appeler ainsi ! D'ailleurs, ne m'adressez plus la parole.

— Avec grand plaisir. Vous êtes plus tyrannique qu'un sergent instructeur, et plus malfaisante qu'une sorcière !

Bien que la remarque fût assez juste, et largement méritée après la réflexion désobligeante que sa mère avait faite sur sa robe, Cynthia sentit un frisson de peur la glacer. Personne n'avait jamais parlé ainsi à Emma Forsythe.

Aussitôt, cette dernière leva la main et gifla Jérôme de toutes ses forces. Il l'enveloppa d'un long regard glacial. Puis il la saisit par le poignet, l'attira contre lui, et prit brutalement possession de ses lèvres.

Emma se débattit, chercha à détourner la tête, mais Jérôme n'était pas décidé à lâcher prise. Tout à coup, à la grande surprise de sa fille, elle renonça à lutter et s'abandonna à ce baiser. Quelques instants après, le couple quittait la réception, étroitement enlacé.

Cynthia n'en revenait pas. Qui aurait cru que Jérôme et sa mère rejoueraient l'une des scènes les plus romantiques de son roman favori, *Le baiser du désert* ?

Quoi qu'il en soit, la voie était libre, désormais, et elle pouvait aller chercher Rick.

Elle le trouva sur la plage, agenouillé au milieu d'un tas de sable qu'il était en train de façonner.

— C'était ma mère, dit-elle d'un ton embarrassé.

— J'avais deviné.

— Je vous aurais bien présenté, mais elle a un caractère épouvantable.

— Je m'en suis rendu compte.

— Rick, je suis désolée.

Il haussa les épaules.

— Elle n'a fait que constater l'évidence. Je suis un monstre.

— Mais non ! protesta-t-elle en le contournant pour voir son visage.

— Merci d'être venue, dit-il en détournant la tête. Mais je crois que…

— Taisez-vous ! Je ne suis pas venue vous rejoindre parce que j'avais pitié de vous, ou que je voulais faire une bonne action. Je suis là parce que je vous aime.

Elle le vit se crisper, et se demanda s'il n'allait pas s'enfuir, une fois de plus. Et tout à coup, la femme qui avait surgi de la mer l'autre soir, si sûre de ce qu'elle voulait, si déterminée quant à la manière de l'obtenir, saisit le devant de sa chemise, l'attira à elle de toutes ses forces et l'embrassa.

C'était un baiser possessif, passionné. Sans la moindre trace de pitié.

Après une seconde d'hésitation, les lèvres

de Rick répondirent aux siennes, chaudes, conquérantes. Tout le reste s'effaça. La musique de la réception et le doux murmure de l'océan s'étaient fondus dans une lointaine rumeur. Le monde lui-même semblait avoir disparu. Seule la sensation impérieuse qui venait de naître au creux de son ventre avait de l'importance. Sa mère avait raison, elle était prête à tout.

— Nous devrions retourner là-bas, avant de faire quelque chose que nous pourrions regretter, murmura Rick.

— Je ne le regretterais pas, répliqua-t-elle avec douceur.

La tension entre eux était à son comble, et de tout son être elle aspirait à la communion totale de leurs corps. Mais au moment où elle se laissait aller contre lui, prête à s'abandonner au désir qui montait en elle, Rick recula si brusquement qu'elle faillit perdre l'équilibre.

Se laissant tomber sur le sable, il reprit sa sculpture et façonna une tour.

— Oh, vous faites un château de sable.

Malgré sa brutale déception, elle ne pouvait s'empêcher de trouver cela charmant.

— C'est mon métier. Je suis architecte.

Elle s'agenouilla près de lui, plongea les mains

dans le sable humide et tenta d'ériger une tour. Elle avait une drôle de forme et menaçait de s'effondrer, ce qui la fit rire.

— C'est une tour digne d'une princesse qui ronfle, plaisanta-t-elle.

Il s'interrompit dans sa tâche et lui embrassa le bout du nez. C'était un peu trop amical à son goût, mais elle ne fit aucun commentaire, et ils se mirent à travailler côte à côte.

Au bout d'un long moment, Rick rompit le silence.

— L'année dernière, je travaillais sur un énorme projet, un vaste complexe de bureaux, commença-t-il d'un ton détaché, comme s'il parlait de quelqu'un d'autre. Je longeais un mur qui venait tout juste d'être achevé. Il y avait une machine derrière, un bulldozer. Le conducteur a reculé par mégarde et le mur s'est effondré.

Cynthia poussa un cri d'horreur.

— Sur vous ?

— Oui.

— Oh, mon Dieu, Rick ! Je suis tellement contente que vous soyez en vie.

— Si j'étais mort, vous ne m'auriez pas rencontré, souligna-t-il. Donc vous n'auriez pas pu vous réjouir.

— Oh, cessez d'être aussi logique ! protesta-t-elle en lui assénant une petite tape sur le bras.

— J'étais enterré sous un amas de ciment, poursuivit-il. Il a fallu des heures pour me sortir de là. C'est de là que me vient cette horrible cicatrice. Il m'arrive encore d'en faire des cauchemars. Je crois que c'est pour cela que je n'arrive plus à dormir la nuit. Et puis, si je sortais en plein jour, je ferais peur aux enfants.

— Rick, je vous en prie !

— J'essaie simplement de vous faire prendre conscience de l'ampleur de mes imperfections.

— Et vous dites cela à une femme qui ronfle, dit-elle dans l'espoir d'alléger l'atmosphère.

Le silence retomba, et ils se remirent à leur château de sable.

— Vous allez abîmer votre robe.

— Ça m'est égal. Ce qui compte, c'est de partager quelque chose avec vous.

— Beaucoup de gens se sont détournés de moi après l'accident, remarqua-t-il d'une voix morne.

— Moi, je serais restée auprès de vous.

— Vous n'en savez rien.

— Si.

Soudain, ils entendirent des éclats de voix au loin. Un homme et une femme se disputaient violemment.

— On dirait qu'il y a de l'orage dans l'air, ce soir, remarqua Cynthia.

— C'est exactement le genre d'ambiance dans laquelle j'ai grandi. Mes parents se disputaient sans arrêt.

— Les miens aussi. J'ai même fini par croire que mon père s'était laissé mourir pour y échapper.

— Comment en arrive-t-on là ? demanda Rick. Comment fait-on pour passer du bonheur que Brad et Paris partagent ce soir à une telle haine ?

Ils tendirent l'oreille.

— J'espère que tu vas tomber d'une falaise et te briser le cou, cria la femme.

— Cela vaudra toujours mieux que de passer le reste de ma vie avec une hystérique, rétorqua l'homme.

Puis les cris s'éloignèrent, et un silence gêné retomba sur la plage.

— Vous savez, je pensais ce que j'ai dit,

murmura Cynthia en posant la main sur l'épaule de son compagnon. Je vous aime.

Il ne répondit rien, mais elle le sentit se crisper.

— J'ai besoin que vous me fassiez confiance, insista-t-elle. Je ne peux pas continuer comme ça. Je veux savoir qui vous êtes. Je veux vous voir.

— Il faut que j'y réfléchisse.

— Si vous voulez.

— Et si je ne suis pas d'accord ?

— Je ne vous reverrai plus, dit-elle d'un ton attristé. Le fait de vous cacher ainsi vous entretient dans la croyance que vous êtes inférieur aux autres. Cela vous autorise à avoir honte de vous. Mais je ne veux plus que vous ayez honte. Car moi, je suis prête à crier mon amour pour vous à la terre entière.

— C'est un ultimatum ?

C'était donc tout ce qu'il avait retenu ? N'avait-il pas compris qu'elle venait de lui ouvrir son cœur sans la moindre retenue ?

— Si c'est ainsi que vous le voyez…, dit-elle, désappointée.

Il hocha la tête, se leva, et épousseta les jambes de son pantalon.

Puis il se pencha et lui effleura les lèvres d'un baiser qui n'avait rien de passionné.

Cela ressemblait plutôt à un adieu.

— Je vous en prie, s'écria-t-elle, comme une bouteille qu'on jette à la mer en dernier recours. Retrouvez-moi ici à midi, demain. Rencontrons-nous en pleine lumière.

Sans un mot, il tourna les talons et disparut dans la nuit.

Cynthia resta un moment agenouillée sur le sable, plus perdue que jamais. Toutes ses pensées convergeaient vers Rick. Ce soir, ils avaient été confrontés malgré eux aux deux aspects extrêmes du mariage : le bonheur des débuts avec Brad et Paris, la haine et l'incompréhension avec le couple d'inconnus. Que s'était-il passé entre ces deux étapes ? Ses parents avaient connu la même chose. Ceux de Rick également. Fallait-il en conclure que l'amour ne durait pas ?

Elle se releva et marcha lentement vers l'hôtel, en proie à une immense fatigue. Tout à coup, elle avait l'impression d'avoir cent ans.

Tandis qu'elle se promenait sur la plage pour faire le point sur la situation, Merry aperçut un château de sable. Rageusement, elle le démolit à coups de pied.

Les Stovers s'étaient disputés en public, cette nuit, sans la moindre considération pour l'embarras dans lequel ils plaçaient Brad et Paris.

Et sans la moindre idée du mal qu'ils lui faisaient à elle, Meredith Montrose Bessart.

C'était son treizième couple. Qu'adviendrait-il du sortilège qui l'emprisonnait si ces deux-là se séparaient ? Elle aurait dû se douter que le chiffre treize lui porterait malheur.

La soirée avait pourtant commencé sous les meilleurs auspices. Ce jeune chien fou d'Alex — son homme d'entretien — lui avait demandé de l'accompagner à la réception. Il ne s'agissait pas véritablement d'un rendez-vous, évidemment. Il faisait simplement preuve d'un peu de compassion à l'égard d'une vieille dame solitaire. Il n'empêche qu'elle avait adoré sa compagnie. Et il avait eu l'air d'apprécier la sienne, sans paraître remarquer combien elle était laide et ridée. Ce qui n'était guère plausible. A moins qu'il existe des personnes au cœur assez grand et à l'esprit assez ouvert pour ne pas juger les autres sur leur apparence.

Cynthia semblait appartenir à cette catégorie. Ce soir, Merry l'avait observée avec Rick, et elle avait compris que leur histoire avait fait un bond de géant. Elle avait alors repris espoir, persuadée que sa délivrance ne tarderait plus.

Jusqu'à la dispute des Stovers ! Eperdue, elle avait abandonné Alex pour se réfugier sur la plage. Dans l'état de nerfs où elle se trouvait, elle préférait être seule.

Alex avait essayé de la retenir en lui disant qu'il avait quelque chose d'important à lui révéler, mais elle avait balayé cette remarque d'un geste de la main, et il avait eu l'intelligence de ne pas insister.

Plus rien n'avait d'importance pour elle, désormais.

Si les Stovers divorçaient, c'était fini pour elle. La date limite pour exécuter sa mission — l'anniversaire de ses trente ans — n'avait jamais été aussi proche. Elle n'avait plus assez de temps. Et elle avait un horrible pressentiment concernant les Stovers.

Dans ces conditions, cela n'avait plus d'importance que Cynthia et Rick tombent amoureux. Tout ça pour rien ! Tous ces efforts, ce travail incessant pour répandre et attiser l'amour n'avaient servi à rien. Et dire qu'elle commençait elle-même à croire au pouvoir de l'amour !

Par pur dépit, elle pointa le doigt vers la statue de l'ours et la fit disparaître.

Elle en avait assez de la magie et de la romance. Que chacun se débrouille, désormais.

Quant à elle, elle ferait aussi bien de se résigner dès maintenant à finir ses jours sous cette apparence haïe.

9.

Un à un, méthodiquement, Rick pliait ses vêtements. Il aurait pu les jeter en vrac dans sa valise et partir en courant, mais il ne lui servait à rien de se presser. Le ferry avait quitté l'île pour la nuit et n'assurerait la prochaine traversée que le lendemain à 14 heures. D'ici là, il était coincé à La Luna.

En outre, le côté mécanique de ses gestes reflétait exactement son état d'esprit. Le calme et la froideur lui étaient familiers, et lui convenaient mieux que le chaos d'émotions qu'il avait connu ces derniers jours.

Il avait baissé sa garde, il s'était autorisé à espérer de nouveau et à croire en l'amour — les plans de la chapelle en témoignaient — et il n'avait récolté que du mépris.

Un monstre… Le jugement cruel d'Emma

Forsythe résonnait encore douloureusement à son oreille.

Quand il eut finit ses bagages, il s'assit à son bureau et contempla ses dessins. Ce n'était pas l'œuvre d'un monstre, mais plutôt celle d'un homme qui avait voulu croire à une nouvelle chance.

Il froissa rageusement les feuilles de papier, mais réalisa qu'il n'était pas encore prêt à les jeter. De toute façon, il lui fallait faire quelque chose de plus fort, de plus dramatique. Demain, à l'heure où il devait retrouver Cynthia sur la plage, il les emporterait sur la falaise, à l'emplacement de la chapelle, et les brûlerait.

Puis il quitterait l'île et ses tentations de toute sorte. Il laisserait derrière lui ses espoirs d'un monde nouveau, d'un monde meilleur où l'apparence ne compterait pas. Il renoncerait surtout à croire qu'une femme pourrait un jour le comprendre tel qu'il était vraiment au plus profond de lui, et l'aimer pour toutes ses qualités invisibles de compassion, de générosité, d'amour…

Il laissa échapper un ricanement cynique. L'amour ! La plus grande des illusions dont les humains étaient les victimes consentantes.

Il se dirigea vers la salle de bains, avec le besoin de s'occuper pour ne plus penser. Il se rasa, se doucha, et se contempla dans le miroir. Il y vit alors une vérité bien plus dérangeante que son visage mutilé.

Le problème, ce n'était pas sa cicatrice. Au fil des mois, celle-ci était devenue une bonne excuse pour éviter de voir ce que vivre impliquait. Il se cachait pour ne pas se trouver un jour confronté à l'amour, pour être certain de ne pas souffrir.

L'amour commençait toujours dans l'euphorie et les belles promesses. Mais cela dégénérait forcément. Il suffisait de voir ce qui s'était passé pour ses parents. Il régnait chez lui un climat d'une violence inouïe, et il avait passé toute sa petite enfance terré dans sa chambre, les mains plaquées sur les oreilles, en priant pour que cela s'arrête. Les seuls moments où le calme régnait dans la maison, c'était quand son père était parti retrouver sa conquête du moment et que sa mère s'enfermait dans la salle de bains pour pleurer.

Pourtant, à en croire les photos du mariage de ses parents, ils avaient dû s'aimer. Ils étaient jeunes et beaux, et, sur tous les clichés, ils se dévoraient des yeux, se prenaient la main, se touchaient le bras ou l'épaule. Durant les premières années, les photos attestaient encore d'une certaine complicité. Il y avait des sourires, des petits gestes. Son père portant sa mère sur son dos pour lui faire faire le tour du jardin. Sa mère faisant des grimaces devant l'appareil. Et puis, quelque chose avait changé.

Il s'était toujours demandé si sa naissance n'avait pas tout brisé. Ou bien peut-être était-ce ainsi qu'allait la vie. Au bout de quelques années, l'amour disparaissait et cédait la place à la haine. On en voyait des exemples tous les jours. Chez les couples princiers, chez les vedettes de cinéma…

L'amour ne durait pas. Il ne pouvait pas durer.

De retour dans sa chambre, il se mit à faire les cent pas. Cette attente était insupportable. Tout à coup, ses yeux se posèrent sur le morceau de bois en forme d'ours, et il attrapa ses outils.

Il allait faire une dernière statuette. Un dernier cadeau pour Cynthia. Une façon de lui faire entrevoir son côté sombre, de lui faire comprendre qu'il portait en lui la destruction.

Sans doute serait-elle déçue et triste de ne pas

le voir au rendez-vous. Mais c'était mieux ainsi. Il ne pouvait pas lui offrir l'amour dont elle rêvait. Cynthia était pure et romantique, et il ne voulait pas la faire souffrir. Alors même si elle devait éprouver une petite désillusion, il valait mieux qu'il s'en aille maintenant avant qu'elle n'ait eu le temps de trop s'attacher à lui.

Lorsqu'elle trouva l'ours à son réveil, Cynthia en fut d'abord ravie. Puis elle prit le temps d'étudier les lignes et les courbes de la statuette, d'un grand réalisme, et se rembrunit. La technique était parfaitement maîtrisée, mais il y manquait la légèreté et la joie de vivre qui s'exprimaient dans les précédentes œuvres de Rick.

Il émanait de l'ours une impression d'énergie furieuse. On percevait le danger que représentait l'animal, son côté sombre derrière l'aspect de peluche inoffensive.

D'un geste timide, Cynthia caressa le bois habilement façonné. L'amour pouvait-il canaliser cette menace ?

Elle songea à la légende que lui avait racontée Merry. L'élément le plus fort de l'histoire, bien plus puissant que l'amour entre l'ours et la jeune femme, était le lien qui unissait celle-ci à sa mère.

Elle ne put s'empêcher de voir le parallèle avec sa propre vie.

Pourquoi la mère de la légende avait-elle autant d'influence sur sa fille ? Etait-ce une question de culture ? Songeait-elle avant tout à l'intérêt de sa fille, ou au sien ? L'ours s'était-il transformé en pierre à cause des interventions de la mère ? Ou parce que la fille était tellement liée à sa mère que sa relation avec l'ours était impossible ?

La critique affaiblissait-elle l'amour ? N'était-ce pas cela qui avait empoisonné la relation de ses parents ? Cette incapacité de sa mère à aimer sans juger, à voir le bien plutôt que le mal, et à se focaliser sur les qualités de son mari plutôt que sur ses défauts.

Par ailleurs, pourquoi la jeune Indienne ne s'était-elle pas battue pour celui qu'elle aimait ? Même si elle n'avait jamais vu son visage, elle avait senti la caresse de ses mains, elle l'avait accueilli dans son lit. Pourquoi l'avait-elle laissé partir ?

Soudain, la réponse jaillit des ténèbres, et

Cynthia sut ce qu'elle avait à faire. Pas uniquement pour Rick, mais aussi pour elle-même.

D'un pas décidé, elle marcha jusqu'au petit hall qui séparait sa suite de celle de sa mère et tambourina à la porte.

Emma, qu'elle savait ne pas être très matinale, mit un temps fou avant de venir ouvrir, le visage gonflé de sommeil et le regard furieux.

— Nous devons parler, déclara Cynthia d'un ton décidé.

— Maintenant ? Je ne crois pas, Cynthia. Il est beaucoup trop tôt.

— Je regrette, mais j'ai quelque chose à te dire.

Avait-elle une seule fois fait passer son propre intérêt avant celui de quelqu'un d'autre ? Certainement jamais avant celui de sa mère. Elle n'avait jamais vécu qu'en ayant en tête ses devoirs et ses obligations. Ce n'était pas ça, l'amour. Quand on aimait vraiment quelqu'un, on devait l'accepter tel qu'il était, et non le modeler selon ses désirs. Elle espérait parvenir un jour à une relation adulte et équilibrée avec sa mère. Mais en attendant, l'affrontement était inévitable.

Ignorant les soupirs théâtraux d'Emma, Cynthia s'assit et posa l'ours au milieu de la table.

— Quelle horreur ! s'écria Emma. Il se dégage une incroyable violence de cette statuette. Je trouve cela de très mauvais goût.

Cela commençait mal. Avec résignation, Cynthia se dit qu'il fallait s'y attendre. Puis elle réalisa qu'elle n'était pas obligée de subir la mauvaise humeur de sa mère, ni de la laisser diriger les opérations.

— Maman, pourquoi as-tu traité l'homme que j'aime de monstre ? demanda-t-elle en allant droit au but.

— Eh bien, parce que c'est le cas, riposta sa mère, sur la défensive. Il est complètement défiguré. Et qu'entends-tu par aimer ? Tu ne peux pas être amoureuse de lui ! Tu le connais à peine.

— Je ne veux pas que tu parles ainsi de quelqu'un qui compte pour moi.

— Tu ne veux pas ? Mais, ma petite fille, tu n'as pas d'ordre à me donner. Et ne me dis pas que tu comptes faire ta vie avec lui. Je ne le supporterai pas.

— A toi de voir.

— Tu veux dire que tu le préférerais à moi ? A ta propre mère ?

— Oui.

En silence, Cynthia se félicita de sa force et de sa conviction. Une femme devait préférer l'homme qu'elle aimait à sa mère. C'était le stade final de sa croissance. Un rite de passage à un autre état : celui de femme.

— Il est affreux, dit sa mère sur un ton de défi.

Cynthia se leva d'un bond.

— Il n'est pas affreux. Pas plus que ne l'est cet ours. Il possède en lui énormément de force et de courage. Et moi aussi, je suis devenue forte. Je veux décider de ma vie, de qui je dois aimer.

— C'est de la folie. Tu ne peux…

Cynthia leva la main pour l'interrompre.

— Je ne t'aiderai pas pour ton prochain livre. Je vais ouvrir une galerie d'art ici, sur l'île.

— Mais…

— Et je vais épouser l'homme que j'aime.

— Il te l'a demandé ?

Cynthia afficha un sourire confiant.

— Non. C'est moi qui vais le lui demander.

— Ce n'est pas comme cela qu'il faut faire les choses.

— Non, maman. Ce n'est pas comme cela que *toi,* tu les ferais. Mais ce n'est pas une raison pour imposer tes idées aux autres. A partir de cette minute, je ferai mes propres choix, et je mènerai ma propre vie.

Consciente de sa détermination, sa mère eut une mimique résignée.

— J'ai très vite décelé cela en toi, avoua-t-elle. Ce farouche besoin d'indépendance. J'ai essayé de le briser, mais je n'y suis visiblement pas arrivée.

— Tu as fait cela pour me garder avec toi, devina Cynthia. Pas pour mon bien. Pas pour me protéger.

— Tu as tort de croire cela. Je ne pensais qu'à toi. C'est le rôle d'une mère de veiller à ce qu'il n'arrive rien à ses enfants. Si tu épouses un homme trop différent de toi, tu finiras par en souffrir.

— C'est ce qui s'est passé avec papa, je sais. Mais tu n'as rien fait pour améliorer les choses. Tu aurais pu essayer de le comprendre, de t'adapter à lui au lieu d'essayer de le changer.

Tu as fait la même chose avec moi, et aujourd'hui, tu vas me perdre aussi.

— Je ne veux pas te perdre. Tu es mon unique enfant, et je t'aime plus que tout. Dis-moi ce que je dois faire pour ne pas te perdre.

— Donne-moi ta bénédiction.

Sa mère scruta son visage avec intensité. A l'instant où elle la vit sourire à travers ses larmes, Cynthia devina qu'elle avait pris conscience de sa détermination et qu'elle rendait les armes.

— Vas-y, ma petite fille chérie. Va le rejoindre. Tu as ma bénédiction.

Cynthia s'était préparée avec soin à son rendez-vous avec Rick, comme elle imaginait que Paris avait dû se préparer la veille pour le plus beau jour de sa vie.

Resplendissante, dans un pantalon corsaire rouge et un débardeur assorti, elle se dirigeait à grands pas vers la plage, pressée de retrouver l'homme qu'elle aimait plus que tout au monde.

Elle eut un coup au cœur en découvrant que le banc qu'elle avait partagé quelques jours plus tôt avec Merry était vite. Elle tenta aussitôt de se rassurer. Ce n'était pas parce qu'il n'était pas là qu'il n'allait pas venir. De toute façon, elle était en avance.

Mais elle avait un curieux pressentiment. Elle se sentait anxieuse comme on pouvait l'être juste avant un orage. Pourtant, la mer était calme, et le ciel, d'un bleu fascinant, était dépourvu de nuages.

Et cependant, elle devinait que quelque chose n'allait pas. Elle regarda autour d'elle, essayant d'apercevoir Rick, mais l'endroit était désert, comme s'il ne restait plus qu'elle sur cette île.

Elle laissa son regard courir sur la vaste étendue de l'océan. Il n'y avait pas un bruit, et elle commençait à trouver cela inquiétant.

Retenant son souffle, elle se tourna vers la crique et comprit d'où venait cette sensation de malaise. Le rocher en forme d'ours avait disparu.

— C'est impossible, dit-elle, comme si le fait de prononcer cette phrase à haute voix allait changer quelque chose.

Elle essaya de se raisonner. C'était à cause de la marée. Une illusion créée par le mouvement des vagues. Mais elle constata que l'eau s'était retirée plusieurs centaines de mètres plus loin.

La marée était basse, et elle aurait dû voir nettement le rocher.

De toute façon, elle avait beau chercher une explication rationnelle, elle savait bien, au plus profond d'elle-même, que l'ours avait disparu.

Mais au lieu d'en éprouver de la tristesse ou de l'inquiétude, elle fut envahie par une joie immense. Celle d'avoir tout risqué par amour.

Son pouls s'accéléra, adoptant le tempo des tambours indiens, et la vérité lui apparut soudain.

L'ours était revenu à la vie. Il avait quitté sa prison de pierre. L'incroyable pouvoir de l'amour, se jouant de tous les obstacles, avait rendu ce miracle possible.

Rick était là, tapi quelque part. Il l'attendait, guettant ses mouvements, et c'était à elle de le trouver. Il lui laissait le choix.

La jeune Indienne s'était montrée passive. Elle avait laissé les autres décider à sa place. Mais elle, Cynthia, avait le pouvoir de changer le cours de sa vie.

Comme en réponse à un appel muet, elle leva la tête vers la falaise et se figea, consciente d'un pincement au creux de l'estomac. Il était là-haut. Elle en avait la certitude.

D'un pas léger, elle escalada le chemin tortueux qui menait au promontoire avec le sentiment de monter vers la lumière.

Une feuille de papier portée par le vent vint soudain s'échouer à ses pieds. Surprise, elle la ramassa et découvrit le dessin d'une chapelle, dont la beauté la laissa sans voix. Ce matin, la statuette de l'ours lui avait révélé le côté sombre de Rick. Mais, à cet instant, c'était toute la délicatesse de son âme qu'elle découvrait.

Sa détermination n'en fut que plus forte. Elle ne laisserait pas cet homme exceptionnel partir loin d'elle.

Elle franchit les derniers mètres qui la séparaient de la plate-forme rocheuse et aperçut la silhouette tant aimée.

— Rick ?

Il fit brutalement volte-face, et lui apparut en pleine lumière. Seule sa beauté la frappa, et elle ne vit pas la cicatrice. Son visage était fascinant, d'une force et d'une noblesse peu communes. Mais ce qui la troubla le plus, c'était l'éclat de ses yeux, d'un bleu très sombre, comme elle n'en avait jamais vu.

Tandis qu'elle avançait lentement vers lui, une image remonta soudain de son passé. Ce n'était pas exact. Elle avait déjà vu cette couleur.

L'information fit lentement son chemin dans son cerveau. Il était plus âgé, et les séquelles de l'accident brouillaient les pistes, mais elle était sûre que c'était lui. Cela expliquait pourquoi elle avait eu, dès leur première rencontre, le sentiment de le connaître.

— Rick ? murmura-t-elle. Rick Barnett ?

Il hocha la tête, l'air penaud.

Elle le rejoignit et prit son visage à deux mains, touchant avec la même tendresse sa cicatrice et sa peau intacte.

— J'allais partir, dit-il. Et je n'avais pas l'intention de te dire au revoir.

— Je sais.

— Je savais qui tu étais depuis le début. Mais je n'ai rien dit. Je t'ai dupée.

— Ça ne fait rien.

— Ecoute, je ne voudrais pas que tu te fasses des idées. Je n'ai rien à t'offrir. Je suis quelqu'un de froid, de dur…

Elle posa les doigts sur ses lèvres pour le faire taire.

— Mais tu es là.

— Je ne voulais pas.

— Parfois, dit-elle en s'efforçant de dissiper la boule d'émotion qui lui nouait la gorge, l'amour décide à notre place.

Une lueur de vulnérabilité traversa le regard de Rick.

— Je ne sais pas si je crois à l'amour. Mais si j'y croyais…

— Si tu y croyais ? l'encouragea-t-elle.

— Si je devais aimer quelqu'un, ce serait toi.

En dépit de cette affirmation, il ne fut pas difficile à Cynthia de déceler tout l'amour que Rick lui vouait.

— Laisse-toi aller. Ne résiste pas.

Il grommela.

— Je suis incapable de résister. Tu m'as volé toute ma force. Si j'avais eu assez de courage, je me serais enfui à l'instant même où j'ai compris que tu avais perçu ma présence. Au moment où j'ai réalisé que tu allais monter ici.

Il soupira.

— Tu ne comprends pas que tu mérite mieux que ça. Mieux qu'un homme défiguré.

Grâce à lui, la petite fille naïve et trop peu sûre d'elle s'était transformée en une femme sereine, sûre de ses sentiments, et prête à assumer de vraies responsabilités. Cynthia aimait cet homme, elle le voulait dans sa vie. Et elle savait désormais que rien ne pourrait la faire changer d'avis.

— Ne t'occupe pas de ce que je mérite. Dis-moi plutôt ce que tu veux, toi.

— Je voudrais passer le reste de ma vie avec toi, dit-il d'une voix que l'émotion altérait.

Puis il enfouit son visage au creux de son épaule.

Elle savait combien cet aveu lui coûtait, et l'effort immense qu'il venait d'accomplir en ouvrant son cœur, en s'autorisant enfin à faire confiance à quelqu'un. Elle devinait aussi que ses réticences n'étaient pas seulement dues à son apparence.

— Tu n'es plus le même qu'autrefois, dit-elle en lui caressant doucement les cheveux.

— Je le sais bien. Et c'est aussi pour ça que je ne voulais pas que tu me voies. J'avais tellement peur que tu sois déçue.

— Je ne parlais pas de ton physique, mais de ta personnalité. Tu ne crois pas que tu t'es amélioré depuis l'époque où tu jouais les mauvais garçons ?

— Non. Sûrement pas.

— Je suis persuadée du contraire. Je me souviens de ce garçon. Je l'aimais bien. Mais pas de la façon dont je t'aime aujourd'hui. Tu as mûri. Tu es plus sage, plus fort… Et moi aussi, j'ai changé. J'ai enfin grandi. J'ai compris que je devais m'assumer, prendre des risques… Et c'est pour cela que je vais t'épouser.

La surprise lui fit brutalement rejeter la tête en arrière.

— Je n'ai pas mon mot à dire ? demanda-t-il, tandis qu'un sourire commençait à se dessiner sur ses lèvres.

— Tu peux dire oui.

— Je n'ai pas d'autre choix ?

— Non.

— Ecoute, je…

— Ecoute ton cœur, et ne t'occupe pas de moi. Je sais exactement de quoi j'ai besoin.

— Que va dire ta mère ?

— Quand j'étais plus jeune, j'écoutais ma mère sans jamais oser la contredire. Grâce à notre rencontre, je suis devenue la femme que j'avais toujours rêvé d'être. Et maintenant, j'écoute mon cœur.

— Et que te dit-il ?

— Que tu n'as plus rien à voir avec le garçon que tu étais autrefois. Et que moi aussi, j'ai changé. C'est formidable, pourtant nous devons encore faire des efforts. L'amour demande de la confiance, un travail de tous les jours pour surmonter les obstacles et les épreuves. Mais si nous le voulons vraiment, j'ai la certitude que nous y arriverons. Il s'est passé sur cette île quelque chose de magique qui a délivré nos cœurs, qui nous a montré la voie vers une vie meilleure, plus vraie. Et nous ne devons pas craindre de nous engager sur ce chemin.

Encore hésitant, Rick étudia longuement son visage.

Comment une femme aussi exceptionnelle pouvait-elle l'aimer ? Et pourtant, elle était là, lui offrant la chance d'atteindre enfin le paradis auquel il avait toujours aspiré. Au nom de quoi refuserait-il cet exaltant sentiment de bonheur qui l'envahissait ?

Rejetant la tête en arrière, il poussa un long cri de joie. Puis il prit Cynthia dans ses bras et la fit tournoyer jusqu'à ce qu'ils soient tous deux essoufflés.

Ensuite, il l'entraîna au bord de la falaise

et cria à pleins poumons, pour que le monde entier l'entende :

— Rick Barnett aime Cynthia Forsythe ! Pour toute la vie.

Merry tendit l'oreille et sourit en entendant le cri de joie porté par la brise.

Elle se trouvait sur sa terrasse, en proie à une effroyable migraine, et la poche de glace qu'elle maintenait sur son front ne lui apportait aucun soulagement.

Puis elle entendit la déclaration d'amour qui suivit et soupira. Elle aurait bien aimé croire que l'amour était capable de tout changer, de rendre le monde meilleur. Mais il lui suffisait d'observer ses mains ridées pour savoir que les choses ne pouvaient pas toujours se résoudre aussi facilement.

La nuit dernière, en rentrant de sa promenade solitaire sur la plage, elle avait trouvé Alex qui l'attendait devant sa porte. Elle éprouvait pour lui des sentiments partagés, s'émouvant de sa sollicitude, et s'agaçant de son insolence et de son incapacité à rester à sa place.

Depuis, elle avait compris pourquoi ! La nouvelle si importante qu'il avait à lui apprendre était qu'il n'était pas un homme d'entretien, mais le propriétaire de l'hôtel.

Mais quelle importance cela avait-il ? Même si elle retrouvait son ancienne apparence, elle était promise à un autre homme.

Pourquoi lui avait-il révélé son secret ? Parce qu'il la respectait et ne pouvait plus supporter de lui mentir.

Autrefois, quand elle était jeune, elle croyait tout savoir, et elle se plaisait à donner des ordres, avec une arrogance qu'elle jugeait aujourd'hui insupportable. Personne ne la respectait. En tout cas, pas pour elle-même. Les gens la craignaient à cause de sa position, de sa famille, mais ils n'avaient aucune estime pour elle.

Aujourd'hui, elle était complètement désemparée. Elle ne savait plus ce qui était bien ou mal, et même avec l'aide de la magie, elle ne contrôlait plus rien.

Et surtout pas sa propre vie !

Ce matin, elle avait appris que les Stovers s'étaient séparés officiellement. Elle avait naturellement envisagé d'intervenir, puis elle y avait renoncé. Avait-elle le droit de les condamner à une vie odieuse dans le seul but de retrouver son apparence ? Autrefois, elle n'aurait pas hésité une seconde. Aujourd'hui, elle n'avait plus aucune certitude.

La voix de Rick Barnett s'éleva de nouveau, forte et claire comme si elle n'avait jamais été endommagée. Elle parlait d'espoir, de confiance et de liberté retrouvée.

Merry prit alors conscience qu'aucune magie ne pouvait provoquer ce miracle.

Le pouvoir de l'amour était plus fort que le sien, et pour la première fois de sa vie, elle décida de s'en remettre au destin.

Qui sait ? Peut-être sa propre histoire connaîtrait-elle aussi une fin heureuse.

Chère lectrice,

Vous nous êtes fidèle depuis longtemps?
Vous venez de faire notre connaissance?

C'est pour votre plaisir que nous avons imaginé un rendez-vous chaque mois avec vos auteurs préférés, vos AUTEURS VEDETTE dans les collections Azur et Horizon.

Les AUTEURS VEDETTE vous donneront rendez-vous pour de nouveaux livres vedette.

Pour les reconnaître, cherchez l'étoile... Elle vous guidera!

Éditions Harlequin

LE FORUM DES LECTEURS ET LECTRICES

CHERS(ES) LECTEURS ET LECTRICES,

VOUS NOUS ETES FIDÈLES DEPUIS LONGTEMPS?

VOUS VENEZ DE FAIRE NOTRE CONNAISSANCE?

SI VOUS AVEZ DES COMMENTAIRES, DES CRITIQUES À FORMULER, DES SUGGESTIONS À OFFRIR, N'HÉSITEZ PAS… ÉCRIVEZ-NOUS À:

LES ENTERPRISES HARLEQUIN LTÉE.
498 RUE ODILE
FABREVILLE, LAVAL, QUÉBEC.
H7R 5X1

C'EST AVEC VOS PRÉCIEUX COMMENTAIRES QUE NOUS ALLONS POUVOIR MIEUX VOUS SERVIR.

DE PLUS, SI VOUS DÉSIREZ RECEVOIR UNE OU PLUSIEURS DE VOS SÉRIES HARLEQUIN PRÉFÉRÉE(S) À VOTRE DOMICILE, NE TARDEZ PAS À CONTACTER LE SERVICE D'ABONNEMENT; EN APPELANT AU (514) 875-4444 (RÉGION DE MONTRÉAL) OU 1-800-667-4444 (EXTÉRIEUR DE MONTRÉAL) OU TÉLÉCOPIEUR (514) 523-4444 OU COURRIER ELECTRONIQUE: AQCOURRIER@ABONNEMENT.QC.CA OU EN ÉCRIVANT À:

ABONNEMENT QUÉBEC
525 RUE LOUIS-PASTEUR
BOUCHERVILLE, QUÉBEC
J4B 8E7

MERCI, À L'AVANCE, DE VOTRE COOPÉRATION.

BONNE LECTURE.

HARLEQUIN.

VOTRE PASSEPORT POUR LE MONDE DE L'AMOUR.

♉ ♊ ♋ ♌ ♍

♋ L'ASTROLOGIE EN DIRECT ♍
TOUT AU LONG
DE L'ANNÉE.

(France métropolitaine uniquement)

Par téléphone 08.92.68.41.01

0,34 € la minute (Serveur JET MULTIMÉDIA).

Composé et édité par les
éditions Harlequin
Achevé d'imprimer en avril 2006

à Saint-Amand-Montrond (Cher)
Dépôt légal : mai 2006
N° d'imprimeur : 60724 — N° d'éditeur : 12076

Imprimé en France